Chère lectrice,

Voilà enfin le mois d'avril et, avec lui, l'espoir de belles journées ensoleillées pour les plus chanceuses d'entre nous. Pour les autres, il reste toujours les chocolats… les derniers que l'on peut savourer la conscience tranquille, tout en lisant nos romans préférés. Après, on arrête, c'est promis !

Ce mois-ci, je vous invite à lire le premier roman de notre série « Gentleman et séducteur », *Séduite par son patron,* de Susanne James (Azur n° 2993). Vous y découvrirez l'histoire de Cryssie, une jeune femme fière et indépendante qui tombe bien malgré elle follement amoureuse de son odieux patron. J'ai également sélectionné pour vous un roman particulièrement émouvant, *Unis par le destin,* d'Helen Bianchin (Azur n° 2991), où vous ferez la connaissance de la belle Taylor et de Dante, décidés à prendre soin de leur filleul orphelin malgré les différends qui les opposent. Par amour pour cet enfant, ils seront prêts à faire beaucoup d'efforts, des efforts qui finiront par devenir plutôt agréables… Enfin, n'oubliez pas le nouveau tome de votre saga « Le royaume des Karedes », *La fiancée insoumise,* de Kate Hewitt (Azur n° 2994), dont les personnages aux caractères forts sauront vous transporter dans un monde merveilleux et vous bouleverser. Et bien sûr, tous les autres romans que j'ai spécialement choisis pour vous !

Très bonne lecture !

La responsable de collection

D0784741

L'enfant de Théo Diakos

NATALIE RIVERS

L'enfant de Théo Diakos

COLLECTION AZUR

*éditions*Harlequin

*Cet ouvrage a été publié en langue anglaise
sous le titre :*
THE DIAKOS BABY SCANDAL

Traduction française de
ELISABETH MARZIN

HARLEQUIN®

est une marque déposée du Groupe Harlequin
et Azur ® est une marque déposée d'Harlequin S.A.

Service Lectrices — Tél. : 01 45 82 47 47
www.harlequin.fr

ISBN 978-2-2808-1707-3 — ISSN 0993-4448

1.

Kerry regarda le bâtonnet blanc dans sa main tremblante. Positif… Son cœur se gonfla de joie. Elle était enceinte !

Ce n'était pas prévu. Elle n'avait fait le test que par acquit de conscience, persuadée qu'il serait négatif. C'était une merveilleuse surprise ! Un bébé…

Elle se mordit la lèvre. Certes, la perspective d'avoir un enfant était exaltante. Mais un peu angoissante également, il fallait bien le reconnaître.

Comment Théo allait-il réagir ? Nul doute qu'il ne s'attendait pas lui non plus à un tel bouleversement…

Il y avait seulement six mois qu'elle vivait avec Théo Diakos, l'un des promoteurs immobiliers les plus riches d'Athènes. Il la traitait comme une princesse et elle avait été chaleureusement accueillie au sein de la famille par le frère de Théo, Corban, et femme de celui-ci, Hallie, qui habitaient l'appartement voisin.

Cependant, si elle n'avait aucun doute sur les sentiments qu'elle éprouvait pour lui, elle n'avait pas la certitude absolue qu'ils étaient partagés. Ils n'avaient jamais parlé d'amour. Jamais non plus ils n'avaient fait de projets d'avenir.

Ils vivaient comme dans un conte de fées, mais au jour le jour.

Calant ses longs cheveux blonds derrière ses oreilles,

Kerry rangea le test et sortit sur la terrasse, transformée en véritable jardin. Lorsque Théo et elle se trouvaient à Athènes, cette oasis de verdure au charme magique était son endroit favori.

Enveloppée par un parfum subtil, elle admira les rosiers grimpants tout en savourant le chant mélodieux de la fontaine. Quel calme délicieux ! Au milieu de cette profusion d'arbres et de plantes, il était difficile d'imaginer l'agitation qui régnait au pied de l'immeuble.

Ce havre de paix était perché sur le toit d'un luxueux palace — le plus beau fleuron de l'empire immobilier de Théo Diakos — situé en plein cœur de la ville.

La nuit commençait à tomber. Sur l'Acropole, le Parthénon éclairé, superbe et majestueux, se découpait sur le ciel. C'était un spectacle extraordinaire dont elle ne se lasserait jamais. Tout comme elle ne se lasserait jamais de vivre avec Théo... D'aussi loin que remontaient ses souvenirs, c'était la première fois qu'elle se sentait chez elle quelque part.

Au début elle avait eu du mal à croire qu'un homme aussi séduisant et sophistiqué puisse s'intéresser à quelqu'un comme elle, mais la passion toujours renouvelée qu'il lui témoignait avait fini par balayer ses doutes.

A vingt-trois ans, elle était heureuse pour la première fois de sa vie. Ses souvenirs douloureux s'étaient estompés peu à peu, et aujourd'hui elle se sentait enfin libérée de son passé. Même s'il ne lui avait jamais fait de serments d'amour, Théo tenait à elle. Il avait choisi de la garder auprès de lui. Pour elle, c'était une expérience toute nouvelle. Un cadeau inespéré.

Et elle avait bien l'intention d'offrir le même cadeau à son bébé dès sa naissance.

Envahie par une émotion indicible, elle posa les mains

sur son ventre. Dire qu'elle portait l'enfant de Théo ! Elle avait encore un peu de mal à y croire. Mais une chose était certaine : son bébé se sentirait toujours désiré. Toujours aimé. Quoi qu'il arrive.

Un frisson d'excitation la parcourut. Il n'y avait aucune raison de craindre la réaction de Théo. Il serait aussi heureux qu'elle. N'était-il pas un oncle fantastique ? Il adorait son neveu Nicco et ce dernier le lui rendait bien. Oui, pas de doute, il serait le meilleur des pères.

Impossible d'attendre plus longtemps ! Il fallait absolument qu'elle lui annonce la nouvelle.

Kerry rentra dans l'appartement et gagna en courant le bureau de Théo. Comme elle avait hâte de voir son visage s'illuminer quand il apprendrait qu'il allait devenir papa !

Arrivée à proximité de la porte, elle s'immobilisa. Apparemment, Théo était en grande discussion avec son frère. Ce n'était pas le moment de le déranger… Tant pis, il faudrait attendre encore un peu avant de partager sa joie avec lui.

S'efforçant de surmonter sa déception, elle s'apprêtait à faire demi-tour lorsqu'une phrase de Théo la fit tressaillir. Ecouter aux portes n'était pas dans ses habitudes et elle ne parlait pas encore le grec couramment. Cependant, cela ne l'empêchait pas de comprendre les propos des deux hommes.

Elle déglutit péniblement. Théo conseillait à Corban d'enlever le petit Nicco à sa mère ?

Non, c'était impossible… Elle avait dû mal entendre. Le cœur battant à tout rompre, elle tendit l'oreille.

— Tu dois penser d'abord à Nicco. C'est ton fils, tu as le devoir de le protéger.

— Mais Hallie est ma femme, objecta Corban d'une

voix hésitante. Elle a confiance en moi. Je ne peux pas lui faire ça.

— Il le faut. Nicco est un Diakos. Il est sous la responsabilité de notre famille. Hallie est incapable de s'occuper correctement de lui.

— C'est une solution si radicale… Ne vaudrait-il pas mieux lui laisser le temps de dire au revoir à son fils avant de l'emmener?

— Non, surtout pas, répliqua Théo d'un ton impérieux. Ce serait encore pire. Si nous agissons tout de suite, Nicco peut être dans l'hélicoptère à destination de l'île avant qu'Hallie s'aperçoive de quoi que ce soit. Une fois Nicco à l'abri, nous pourrons nous occuper d'elle discrètement… la faire sortir du pays sans que cela provoque de remous. Il vaut mieux ne pas ébruiter l'affaire. Cela ne regarde personne en dehors de la famille.

Horrifiée, Kerry se couvrit la bouche pour étouffer un cri. Elle ne s'était pas trompée! Théo et Corban voulaient enlever son enfant à Hallie!

Assaillie par des souvenirs insupportables, elle se mit à trembler de tous ses membres. C'était un véritable cauchemar! Pourquoi Théo poussait-il son frère à commettre un acte aussi ignoble? De quel droit jugeait-il Hallie incapable de s'occuper de son fils? Sa propre mère avait subi la même injustice et elle ne s'en était jamais remise…

Impossible de rester sans rien faire! Il fallait à tout prix prévenir Hallie. L'idée que son amie pourrait connaître le même sort que sa mère était insupportable. Si on avait permis à cette dernière de garder son bébé, elle serait peut-être encore en vie…

Les jambes tremblantes, Kerry fit demi-tour. Dire qu'elle se croyait définitivement débarrassée des fantômes du passé! Quelle horreur! Elle avait l'impression de devenir folle ! Mais ce n'était pas le moment de flancher. Il fallait garder la tête froide et agir au plus vite.

Prenant une profonde inspiration, elle gagna l'appartement voisin en courant et fit irruption dans la chambre d'Hallie. Assise devant sa coiffeuse, la jeune femme se brossait les cheveux.

— Kerry ! s'exclama-t-elle en écarquillant les yeux. Que se passe-t-il ?

— Excuse-moi, mais j'ai surpris une discussion entre Théo et Corban. Ils veulent emmener Nicco. Ce soir !

— Pourquoi ? Il est malade ?

Hallie se leva si brusquement que son tabouret se renversa.

— Non, pas du tout. Il va bien, mais ils veulent l'emmener en hélicoptère sans te prévenir.

— Non ! Ils n'ont pas le droit !

Les joues en feu, Hallie vacilla sur ses jambes.

— Je ne les laisserai pas faire !

D'un geste vif elle prit son sac sur la coiffeuse, renversant un verre de vin au passage. Puis elle saisit des clés sur une console et se dirigea vers la porte d'une démarche mal assurée.

— Ils ne me le prendront pas ! Jamais !

— Attends ! s'exclama Kerry en prenant machinalement des mouchoirs en papier pour éponger le vin sur la coiffeuse. Je viens avec…

Elle s'interrompit, l'estomac noué. Hallie avait bu du vin… Elle avait les joues rouges… et du mal à marcher. Elle n'était pas en état de conduire !

— Hallie !

Kerry se rendit dans la chambre de Nicco et son cœur fit un bond dans sa poitrine. Trop tard ! La pièce était vide. Gagnant le hall, elle regarda le panneau de l'ascenseur.

Les voyants lumineux indiquaient que la cabine atteindrait bientôt le parking souterrain.

Oh, mon Dieu ! Si Hallie avait un accident elle ne se le pardonnerait jamais ! Que faire ? Affolée, Kerry resta indécise quelques secondes, puis elle se remit à courir.

Tant pis. Il fallait prévenir Théo. Elle n'avait pas le choix.

Elle arriva dans le bureau à bout de souffle.

— Hallie ! Elle… !

Théo la rejoignit aussitôt et lui prit les mains.

— Respire profondément.

Sa voix calme la rasséréna un peu et elle s'exécuta.

— Bien. Maintenant, explique-moi ce qui se passe.

Elle se mordit la lèvre, au comble de la confusion. L'attitude bienveillante de Théo suffisait à la réconforter. Pourtant, quelques minutes plus tôt il ordonnait pratiquement à son frère d'enlever Nicco à Hallie… Mais si cette dernière avait un accident… Non, il n'y avait pas à hésiter.

— Hallie a emmené Nicco en voiture, mais elle a bu du vin et…

Corban jura en grec et quitta la pièce en courant. Simultanément, Théo lâcha Kerry et décrocha le téléphone. Il appelait l'équipe de sécurité, comprit-elle. Pour qu'on empêche Hallie de quitter l'hôtel.

Elle croisa les bras, au comble de l'anxiété. Qu'avait-elle fait ? Certes, Théo et Corban n'avaient pas le droit de prendre Nicco à sa mère… Mais à cause d'elle, Hallie et son petit garçon étaient en danger. Oh, pourquoi n'avait-elle pas pris le temps de réfléchir ? Elle n'aurait pas dû réagir de manière aussi impulsive…

— Je vais aider Corban, déclara Théo en raccrochant. Hallie a déjà quitté l'hôtel.

La gorge nouée, Kerry refoula ses larmes. Si seulement elle s'était rendu compte plus tôt qu'Hallie avait bu du vin !

— Ne t'inquiète pas, tout va bien se passer. Merci de nous avoir prévenu. Tu as très bien fait. Tout va s'arranger.

Le temps qu'elle reprenne ses esprits, il avait disparu. Kerry fut parcourue d'un long frisson.

Théo était tout pour elle. Leur rencontre avait bouleversé sa vie. Depuis qu'elle le connaissait, elle était devenue une autre femme.

Lorsque son contrat temporaire de vendeuse à la boutique de l'hôtel avait pris fin, il lui avait demandé de rester avec lui, sans chercher d'autre emploi ; il voulait qu'elle soit libre de le suivre lors de ses nombreux voyages d'affaires, avait-il précisé. Stupéfaite et ravie, Kerry avait accepté. Comment aurait-elle pu refuser ? Elle avait été si heureuse de savoir qu'il voulait passer le plus de temps possible avec elle. Pour la première fois de son existence, elle avait eu le sentiment d'occuper une place essentielle dans la vie de quelqu'un.

Envahie par une douce chaleur, elle ferma les yeux. Chaque instant passé en compagnie de Théo était une vraie fête. Il était passionné et prévenant à la fois. Dire que même à l'instant, alors qu'il était très inquiet pour sa belle-sœur et son neveu, il avait tenu à la réconforter…

Une nouvelle bouffée d'angoisse l'assaillit soudain. Théo lui était reconnaissant de l'avoir prévenu… mais il ignorait que c'était elle qui avait provoqué la fuite d'Hallie !

Déglutissant péniblement, elle se dirigea vers la fenêtre. Quelque part au milieu de toutes ces lumières qui scintillaient dans la nuit, Corban et Théo étaient à la poursuite d'Hallie et de Nicco. Pourvu que tout se termine bien !

*
**

Théo Diakos traversa le hall de l'hôtel à grands pas, la mine sombre. Corban n'avait pas mis longtemps à rattraper Hallie, pour la bonne raison qu'elle avait eu un accident place Syntagma, à quelques mètres de l'hôtel.

Dieu merci, il n'y avait eu aucun blessé. Cependant, une voiture de sport qui percutait un kiosque sur l'une des places les plus fréquentées d'Athènes, à proximité du Parlement, voilà qui ne passait pas inaperçu… Une horde de paparazzi avait surgi de nulle part avant que Corban ait eu le temps de mettre sa famille à l'abri.

Théo crispa les mâchoires. S'il avait poussé son frère à agir plus tôt, rien de tout cela ne serait arrivé. Il y avait des mois qu'Hallie aurait dû être éloignée d'Athènes et de son fils. Sa dépendance à l'alcool était de plus en plus difficile à dissimuler et nul doute qu'après le fiasco de ce soir, elle allait être étalée au grand jour.

Pour l'instant, personne n'était encore au courant. Même Kerry ne semblait pas avoir pris conscience du problème. Au prix d'une vigilance de tous les instants, Corban avait réussi à dissimuler l'addiction de sa femme. Mais à présent, tous ses efforts risquaient d'être réduits à néant.

Théo jeta un coup d'œil à sa montre. Quelques minutes seulement s'étaient écoulées depuis qu'il avait appelé Kerry pour la rassurer, mais elle avait paru très perturbée. Mieux valait la rejoindre sans attendre.

Il était vraiment regrettable qu'elle soit mêlée à un problème familial aussi délicat. Heureusement qu'elle n'avait pas compris la gravité de la situation ! Sans doute était-elle trop candide pour imaginer une réalité aussi sordide. En tout cas, ce n'était pas elle qui aurait risqué de provoquer un scandale : elle était d'une discrétion et d'une modestie remarquables. Jamais il n'avait rencontré une femme à la fois aussi désirable et aussi facile à vivre.

Il l'avait remarquée pour la première fois un an plus tôt environ, alors qu'elle discutait avec un groupe de touristes dans le hall d'un de ses hôtels. C'étaient d'abord ses boucles blondes, ses immenses yeux pervenche et son teint de porcelaine qui avaient attiré son attention. Puis, dès la première soirée, il avait été subjugué par son naturel et sa douceur. Au sein du tourbillon incessant de ses affaires, sa compagnie était particulièrement délassante.

Il la trouva dans le jardin, sur le toit. Si son coup de téléphone n'avait pas suffi à l'apaiser, il connaissait un excellent moyen de lui faire tout oublier... Transpercé par un éclair de désir, il hâta le pas.

— Tout le monde va bien, c'est sûr? demanda-t-elle d'un ton anxieux dès qu'elle le vit. Hallie et Nicco ne sont pas blessés? Les gens dans la rue non plus?

— Tout le monde va bien, ne t'inquiète pas, répliqua-t-il en la prenant dans ses bras.

A sa grande surprise, au lieu de se détendre, la jeune femme se raidit. Ecartant ses cheveux, il l'embrassa dans le cou.

— Tout est sous contrôle, ajouta-t-il d'une voix douce. Laisse-moi te changer les idées.

— Où sont-ils? Ils sont tous les trois ensemble?

S'écartant d'elle, Théo considéra Kerry avec perplexité. D'ordinaire, elle s'alanguissait dans ses bras dès qu'il les refermait sur elle, et en quelques secondes, la passion leur faisait perdre la tête à l'un et à l'autre. Pourquoi était-elle aussi tendue, ce soir? Ses propos auraient pourtant dû la rassurer, non?

— Oui, ils sont à bord de l'hélicoptère, en route pour l'île, répliqua-t-il en promenant les doigts sur ses bras. Je t'assure que tu peux cesser de t'inquiéter pour eux… et me laisser te réconforter.

Kerry prit une profonde inspiration. Il fallait absolument avouer la vérité à Théo sans attendre.

De toute évidence, il ne savait pas encore que c'était à cause d'elle qu'Hallie était partie en voiture, mais tôt ou tard il l'apprendrait. Et de toute façon, elle n'avait pas l'intention de lui cacher quoi que ce soit. D'autant plus qu'elle voulait absolument qu'il lui explique sa conversation avec Corban.

Ensuite, elle pourrait enfin lui dire qu'elle était enceinte. Mon Dieu ! Tout semblait si compliqué, tout à coup… Quelques heures plus tôt, elle était folle de joie à l'idée de lui annoncer qu'ils allaient avoir un enfant, mais à présent, elle se sentait complètement perdue.

— Voyons ce que je peux faire pour te changer les idées, murmura-t-il d'une voix profonde en cueillant deux roses sur le treillage.

Kerry déglutit péniblement. La nuit précédente, il l'avait portée jusqu'au jardin, lui avait enlevé sa chemise de nuit en dentelle et l'avait allongée nue sous les étoiles. Puis il avait parsemé son corps de pétales de roses avant de lui faire l'amour.

A présent, le parfum entêtant des fleurs qu'il tenait à la main la grisait et son corps brûlait déjà de s'abandonner au sien. Malheureusement, elle ne pouvait pas se permettre de céder à son désir. Ce n'était pas le moment.

Il fallait d'abord lui parler.

— Arrête, dit-elle d'une voix étranglée. Il faut que je te parle. Tout à l'heure je t'ai entendu discuter avec Corban. Tu lui conseillais d'emmener Nicco sans prévenir Hallie…

Le visage de Théo se ferma.

— Corban et moi te sommes très reconnaissants d'avoir

donné l'alarme. Si tu ne nous avais pas prévenus aussi vite, la situation aurait pu tourner à la catastrophe. Cependant, notre conversation était privée. Tu n'avais pas le droit de l'écouter. Nos histoires de famille ne te regardent pas.

Kerry déglutit péniblement. A en juger par la veine qui battait à sa tempe, Théo était encore plus irrité qu'il ne le laissait paraître. Comment allait-il réagir en apprenant ce qu'elle avait fait ?

— Hallie est mon amie, déclara-t-elle d'une voix moins assurée qu'elle ne l'aurait voulu. Il est normal que je m'inquiète pour elle et pour Nicco.

Théo scruta son visage.

— Tu lui as répété ce que tu avais entendu, n'est-ce pas ?

Relevant le menton, elle soutint son regard sans ciller.

— Oui.

— Qu'est-ce qui t'a pris ? Ça ne te regardait pas.

— Bien sûr que si ! s'exclama Kerry avec feu. Hallie est mon amie. Je ne pouvais tout de même pas rester les bras croisés !

— A cause de toi, quelqu'un aurait pu mourir, ce soir ! Pas étonnant que tu aies été aussi inquiète.

— Je ne me suis pas rendu compte qu'elle avait bu du vin et…

— Inutile d'essayer de te justifier, la coupa sèchement Théo. Ta conduite est inexcusable.

— Mais…

— Je te répète que tes excuses ne m'intéressent pas. Non seulement tu as écouté aux portes, mais tu as pris une initiative stupide. Comment as-tu osé te mêler de nos affaires ?

— Hallie est mon amie.

— Et moi, que suis-je pour toi ? Tu aurais pu au moins me consulter au lieu d'agir derrière mon dos !

— Je…

Kerry était au comble de la confusion. Certes, elle avait réagi de manière un peu trop impulsive. Mais ça ne changeait rien à ce qu'elle avait entendu. D'ailleurs, Théo n'avait pas nié qu'il envisageait de séparer Nicco et Hallie.

Or, depuis qu'elle avait surpris cette conversation, elle était de nouveau hantée par le souvenir de sa propre histoire. On l'avait enlevée à sa mère dès sa naissance et celle-ci ne s'en était jamais remise. Le désespoir l'avait fait sombrer dans la dépression et elle avait cherché le réconfort dans la drogue. Elle en était morte, seule, dans des circonstances sordides.

Le plus déchirant, c'est qu'elle-même n'avait appris la vérité que bien plus tard. Trop tard pour aider cette mère qu'on lui avait cachée. Trop tard pour connaître l'amour dont on l'avait privée. Elevée par sa grand-mère, elle s'était sentie indésirable pendant toute son enfance et son adolescence.

— Je ne veux plus de toi ici. Fais tes valises et va-t'en.

La voix méprisante de Théo la fit tressaillir.

— Quoi ? Je ne comprends…

Elle s'interrompit, effarée. Théo lui avait tourné le dos et il s'éloignait. Comme si elle ne faisait déjà plus partie de sa vie ! Et elle ne lui avait même pas annoncé…

— Attends ! J'ai quelque chose à te dire !

Il se retourna, le regard glacial.

— Ce soir, j'ai découvert que…

La voix de Kerry s'éteignit.

Cet homme qui la toisait d'un air méprisant, elle ne le reconnaissait pas. Elle avait l'impression de se trouver en face d'un inconnu. Jamais elle n'aurait pu imaginer qu'un jour, Théo la mettrait à la porte aussi brutalement.

Mais surtout, elle ne l'aurait jamais cru capable d'envisager de séparer un enfant de sa mère.

Et s'il était prêt à enlever Nicco à Hallie, qui était pourtant mariée avec Corban depuis des années, comment réagirait-il en apprenant qu'elle attendait un enfant de lui ?

Il ne voulait plus d'elle, certes, mais ne risquait-il pas d'exiger de garder le bébé ? Ne risquait-il pas de la juger elle aussi incapable d'élever correctement « un Diakos » ?

— Je t'écoute, déclara-t-il sans masquer son impatience.

Elle déglutit péniblement.

— J'ai découvert... que je ne te connaissais pas vraiment.

— C'est réciproque. Va-t'en.

2.

14 mois plus tard

— Merci pour votre invitation.

Théo tendit la main au vieil homme qui buvait un café, assis à une petite table de bois, à l'ombre d'un olivier au tronc noueux.

— Votre île est vraiment superbe. Et le calme qui y règne, très agréable.

Ignorant la main de Théo, Drakon Notara garda les yeux baissés sur sa tasse.

— N'essayez pas de me faire croire que vous aimez le calme ! Je sais parfaitement pourquoi vous voulez m'acheter mon île. Vous allez la défigurer en y construisant un de vos hôtels hideux… et même sans doute plusieurs. Des bars, de la musique assourdissante, des hordes de touristes soûls du matin au soir…

Il daigna enfin lever les yeux vers Théo.

— Je ne veux pas de ça ici.

Théo s'exhorta au calme. Il fallait à tout prix éviter de braquer Notara.

S'il voulait cette île, c'était pour exécuter les dernières volontés de sa mère. Et contrairement à son habitude, il était prêt à avaler des couleuvres pour atteindre son objectif.

Il n'avait pas été invité à s'asseoir et on ne lui avait rien proposé à boire. Les dalles de la petite terrasse ombragée qui prolongeait la maison étaient jonchées de feuilles d'olivier. Elles n'avaient pas été balayées en son honneur.

Théo réprima une moue de dérision. De toute évidence, Notara avait décidé de se montrer à la hauteur de sa réputation de vieillard bourru et intraitable.

— Non, je n'ai pas l'intention de construire un hôtel sur cette île, déclara-t-il d'un ton posé. Si nous pouvions discuter…

— Discuter de quoi ? coupa Drakon d'un ton rogue. Nous n'avons rien en commun. Ce n'est pas parce que je passe la plupart de mon temps ici que je ne sais pas à quoi m'en tenir sur vous. Je lis les journaux, comme tout le monde. Vous et votre famille vous ne pensez qu'à l'argent et au plaisir. Il n'y a qu'à voir votre frère et son ivrogne de femme qui a eu un accident de voiture avec son fils.

Théo serra les dents. Chaque fois qu'il repensait à cette soirée, il était submergé par une bouffée de rage. Le drame avait été évité, Dieu merci, mais les conséquences en termes d'image avaient été catastrophiques.

— Vous êtes mal informé. Ma famille n'est pas telle que l'ont dépeinte les médias. Les journalistes ont parfois tendance à forcer le trait.

— Vous prétendez que cet accident est une invention ?

— Non, mais tout ce qu'on a raconté à ce sujet est loin d'être vrai. De toute façon, ma vie privée n'a rien à voir avec notre affaire. Si vous me permettez de vous exposer ma proposition, je pense que nous pourrions parvenir à un accord aussi satisfaisant pour vous que pour moi.

— Je n'ai aucune envie de discuter avec vous. Le baratin que vous avez préparé pour me convaincre ne m'intéresse pas.

Drakon s'appuya lourdement sur la table pour se lever.

— Si vous tenez vraiment à acheter mon île, venez y séjourner quelques jours, afin que j'aie le temps de me faire ma propre opinion sur vous. Et amenez donc votre compagne… la charmante jeune femme que j'ai eu le plaisir de rencontrer l'année dernière. Elle m'a beaucoup plu. Spontanée, intelligente, courtoise. Pas de grands airs ni de minauderies. Je dois dire que j'ai été surpris. Je vous aurais imaginé avec une femme plus… superficielle.

Théo parvint à rester impassible malgré sa stupéfaction. Le vieux renard parvenait à le prendre au dépourvu ! En quelles circonstances avait-il pu rencontrer Kerry, bon sang ? Parce qu'il ne pouvait s'agir que d'elle. Il fouilla fébrilement dans sa mémoire. Sans doute à un des nombreux galas de charité auxquels il l'avait emmenée.

Pour quelle raison Notara lui demandait-il de revenir passer quelques jours sur son île avec elle ? Pour le plaisir de lui compliquer la vie parce qu'il était au courant de leur rupture ? Ce serait bien son genre…

— A moins que vous ne l'ayez déjà remplacée ? reprit Drakon. Comment s'appelait-elle, déjà ?

— Kerry.

Théo crispa les mâchoires. Pas de doute, Notara se payait sa tête. Sinon, pourquoi ce ton sarcastique ? Et surtout, pourquoi parlerait-il de Kerry au passé ? De toute évidence, il savait parfaitement que leur relation était terminée.

— Elle *s'appelle* Kerry, rectifia-t-il avec un pincement au cœur.

Il n'avait pas prononcé son prénom depuis le soir où il l'avait mise à la porte. Mais curieusement, cela n'avait pas empêché son souvenir de s'imposer à lui plus souvent qu'il ne l'aurait voulu…

— Ah, oui, Kerry…, acquiesça Drakon. Une jeune femme absolument délicieuse. Elle m'a rappelé ma chère épouse dans sa jeunesse. Etant donné qu'elle ne vous quittait jamais, je m'attendais à lire l'annonce de votre mariage dans la presse. Mais ce n'était sans doute qu'une « fiancée » parmi d'autres.

Le vieil homme tourna le dos et se dirigea vers la maison d'un pas mal assuré.

— Comme je vous l'ai déjà dit, ma vie privée n'a aucun rapport avec l'affaire qui nous occupe.

Théo réprima un soupir. Autant parler à un sourd… De toute évidence, Drakon Notara avait décidé au contraire de considérer sa vie privée comme un élément déterminant. Et, pour tout arranger, il avait un faible pour Kerry…

— Je suis un vieil homme sentimental, attaché aux valeurs traditionnelles, lança Drakon par-dessus son épaule. Je n'aime pas la façon dont beaucoup de gens vivent de nos jours. Recherche du plaisir immédiat, relations éphémères…

— Si vous acceptiez de discuter avec moi, vous découvririez que je suis moi aussi attaché aux valeurs traditionnelles.

Théo jura intérieurement. Comment convaincre Notara qu'il ne construirait jamais d'hôtel sur cette île ? Il n'était pas question de lui dévoiler les raisons très personnelles pour lesquelles il souhaitait l'acquérir. Ses histoires de famille ne regardaient personne. Surtout pas un vieil homme buté qui s'érigeait en moraliste !

— Si vous tenez vraiment à discuter, revenez passer quelques jours ici.

Drakon fit une pause sur le seuil de la maison.

— Et n'oubliez pas d'amener Kerry avec vous ! ajouta-t-il avant de disparaître dans la pénombre de l'entrée.

Théo secoua la tête. Le vieil homme n'était peut-être plus très vaillant, mais il avait toujours un caractère impossible…

La gouvernante de Drakon Notara le rejoignit.

— Je vais vous raccompagner jusqu'à l'héliport, dit-elle.

— C'est inutile, merci. Je connais le chemin.

Théo quitta l'ombre des oliviers pour prendre le chemin de la corniche sous un soleil écrasant. Perdu dans ses pensées, il ne prêta pas la moindre attention à la vue superbe sur la mer Egée.

Il avait besoin de Kerry.

S'il voulait avoir la moindre chance d'acheter cette île et d'exécuter les dernières volontés de sa mère, il devait la retrouver.

— Merci infiniment pour votre aide précieuse, déclara le client en ouvrant la porte vitrée.

Un courant d'air glacé s'engouffra dans l'agence de voyages.

— Je suis certaine que vous passerez des vacances merveilleuses. Je ne suis allée qu'une seule fois en Crète mais j'aimerais beaucoup y retourner, répliqua Kerry avant que l'homme sorte sous la pluie.

Elle réprima un petit soupir nostalgique. Cela aurait été si agréable de passer ses journées sur la plage, sans rien d'autre à faire que se reposer et jouer avec Lucas, l'amour de sa vie, son petit bébé de six mois… Malheureusement, vu sa situation financière, ce rêve ne risquait pas de se réaliser dans un avenir proche.

Dire qu'elle avait quitté Athènes depuis quatorze mois… Elle n'avait pas remis les pieds en Grèce depuis cette horrible soirée où Théo Diakos lui avait brisé le cœur. Le retour à Londres avait été particulièrement pénible. Anéantie, sans argent, sans emploi et enceinte, elle avait vécu un véritable cauchemar.

— Il est presque l'heure de ta pause. Tu es certaine que ça ne te dérange pas de déjeuner tôt, une fois de plus ?

La voix de sa collègue Carol arracha Kerry à ses pensées.

— Ne t'inquiète pas. Etant donné que je me suis levée à 5 heures, ça m'arrange au contraire ! répliqua-t-elle en riant.

Lucas était adorable, mais il avait pris la fâcheuse habitude de se réveiller au lever du soleil…

La porte se rouvrit et une bourrasque de vent la fit frissonner.

— Oh, c'est incroyable, ce froid ! Je n'arrive pas à croire qu'on est déjà au mois de juin !

Relevant le col de sa veste d'uniforme, elle se tourna vers le nouvel arrivant.

— Bonjour, puis-je vous… ?

Elle s'interrompit, le souffle coupé. Depuis le seuil, Théo Diakos dardait sur elle un regard pénétrant.

Tétanisée, Kerry ne parvenait pas à détacher ses yeux de lui. Théo ? Ici ?

Grand et athlétique, il occupait entièrement l'entrée et sa présence magnétique semblait prendre tout l'espace de la boutique. Son épaisse chevelure noire brillait sous les gouttes de pluie qui la parsemaient.

Le premier moment de stupeur passé, une vive anxiété étreignit Kerry.

Que faisait-il là ? Avait-il découvert l'existence de Lucas ? Oh, non ! Pourvu qu'il ne sache rien !

— Puis-je vous aider, monsieur ? demanda Carol en se levant. Voulez-vous voir une brochure particulière ou bien n'avez-vous pas encore d'idée précise ?

Malgré son appréhension, Kerry faillit être prise d'un fou rire nerveux. Imaginer Théo Diakos — l'un des promoteurs immobiliers les plus riches de Grèce — poussant la porte d'une agence de voyages d'un quartier excentré de Londres pour y organiser ses vacances était comique. Non, ridicule !

— Je suis venu voir Kerry, répondit-il sans quitter cette dernière des yeux.

— Oh, vous vous connaissez ?

Sans même la regarder, Kerry devina l'air surpris de sa collègue. Elle avait toujours les yeux fixés sur Théo. Quelle impression étrange... Il lui semblait à la fois très familier et totalement étranger.

Cet homme, elle l'avait aimé à la folie. Jusqu'au jour où il lui avait brisé le cœur. Dire qu'après un an de vie commune, elle avait découvert à quelques minutes d'intervalle qu'il envisageait d'enlever un petit garçon à sa mère et qu'elle ne représentait rien pour lui !

— Carol, je te présente Théo, un ami d'Athènes.

La politesse l'obligeait à faire les présentations, mais pas question d'entrer dans les détails !

— Tu peux aller déjeuner tout de suite, suggéra sa collègue. Vous avez sûrement des tas de choses à vous dire.

Kerry déglutit péniblement. Se retrouver en tête à tête avec Théo ? Pas question ! Mais avait-elle vraiment le choix ? Margaret, la directrice de l'agence, reviendrait bientôt de son rendez-vous chez le dentiste et elle n'apprécierait sûrement pas qu'elle reçoive une visite privée à l'agence. Or, elle avait trop besoin de son emploi pour prendre le risque de la contrarier.

— D'accord. Je vais chercher mon sac.

Elle se leva et se rendit dans le bureau à l'arrière de la boutique, en s'efforçant de masquer son désarroi.

Pourquoi Théo était-il à Londres ? Comment l'avait-il retrouvée ? Avait-il découvert l'existence de Lucas ?

La porte du bureau se referma derrière elle, la protégeant momentanément du regard pénétrant de ses yeux noirs. Les jambes tremblantes, elle prit une profonde inspiration.

Etait-il venu lui prendre son fils ?

Jamais ! Son petit garçon était toute sa vie. Jamais personne ne pourrait le lui enlever !

S'efforçant de surmonter son angoisse, elle jeta un coup d'œil dans la boutique à travers la glace sans tain. Théo était toujours là, aussi impénétrable qu'une statue grecque alors que Carol s'efforçait manifestement de lui faire la conversation.

Elle crut que son cœur allait s'arrêter de battre. Mon Dieu ! Et si, en toute innocence, Carol faisait allusion à Lucas ? Il fallait éloigner Théo au plus vite ! Saisissant son sac, elle regagna la boutique en toute hâte.

— Prends tout ton temps, déclara Carol. Je t'enverrai un texto en douce si Margaret revient. Profite de cette occasion pour évoquer les bons souvenirs et amuse-toi bien !

— Merci, répondit Kerry avec un sourire crispé.

Passant devant Théo sans un mot, elle poussa la porte et sortit sous la pluie.

Elle ne risquait pas de s'amuser ! Quant à évoquer les

bons souvenirs… Elle réprima un frisson. Pourvu que Théo ne soit pas venu mettre sa vie en pièces !

Cette incertitude était insupportable… Il fallait absolument qu'elle en ait le cœur net.

— Que fais-tu ici ?

— Je suis venu te chercher pour te ramener en Grèce.

3.

Théo considérait Kerry avec perplexité. Bouche bée, elle le fixait d'un air effaré. Rien d'anormal à cela, bien sûr. Il s'attendait à ce qu'elle soit surprise par sa démarche. En revanche, il n'aurait jamais imaginé la trouver aussi changée. Elle ne ressemblait plus à la femme avec qui il avait vécu pendant presque un an.

Certaines différences étaient évidentes. L'uniforme bleu marine peu flatteur et sa nouvelle coiffure. Ses boucles blondes étaient nouées sur sa nuque et sa frange trop longue lui tombait dans les yeux. Mais ce n'était pas tout. Il y avait quelque chose dans son visage...

Il plissa le front, déconcerté. Ses yeux, peut-être. Il aurait juré qu'ils étaient d'un bleu clair tirant sur le mauve, or ils étaient gris. Mais sans doute reflétaient-ils la couleur du ciel. Et de toute façon, il y avait encore autre chose. Mais quoi ? A vrai dire, c'était indéfinissable...

— Tu es fou ? s'exclama-t-elle, retrouvant enfin sa voix. C'est hors de question ! Pourquoi veux-tu m'emmener en Grèce ? Et surtout, qu'est-ce qui te fait croire que je pourrais accepter ?

— Tu me dois bien ça.

— Pardon ?

Kerry suffoqua d'indignation.

31

— Je ne te dois rien du tout ! J'ai arrêté de travailler pour vivre avec toi mais je n'ai jamais accepté l'argent que tu as voulu me donner ! J'ai dépensé toutes mes économies, si bien que lorsque tu m'as mise à la porte, je me suis retrouvée sans un sou.

De quoi aurait-elle pu lui être redevable ? C'était ridicule !

— J'ai même laissé chez toi tous les bijoux que tu m'avais offerts !

— Je ne parle pas d'un point de vue bassement matériel, rétorqua-t-il d'un ton vif.

— Alors que veux-tu dire ?

L'estomac de Kerry se noua. Aurait-il découvert l'existence de Lucas ? Non… il en aurait déjà parlé. A moins qu'il ait décidé de retarder ce moment pour la tourmenter ?

— Tu t'es mêlée de ce qui ne te regardait pas et ton intervention a failli avoir des conséquences dramatiques.

Elle déglutit péniblement. Bien sûr, elle regrettait amèrement d'avoir incité Hallie à prendre le volant alors qu'elle avait bu. Mais Théo lui avait déjà fait payer cette erreur, puisqu'il l'avait mise à la porte le soir même… Que lui fallait-il de plus ? Que voulait-il exactement ? Quelle était la véritable raison de sa présence à Londres ?

— C'est un miracle que personne n'ait été blessé, poursuivit-il. Mais de toute façon, cet accident a déclenché un lynchage médiatique. Les paparazzi s'en sont donné à cœur joie. Nous avons été harcelés pendant des mois. Hallie et Corban en particulier.

De toute évidence, ce n'était pas à cause de Lucas qu'il était venu… Submergée par un immense soulagement, Kerry s'enhardit.

— Et tu es furieux parce que l'attention des médias t'a empêché de prendre son fils à ta belle-sœur, c'est ça ?

— Dans ton propre intérêt, je te conseille de ne plus jamais faire allusion à ce que tu as entendu ce soir-là.

Le ton menaçant de Théo hérissa Kerry. Pour qui se prenait-il ?

— Pourquoi ? Tu as mauvaise conscience ?

Au comble de l'irritation, Théo crispa les mâchoires. Pas de doute, elle avait changé. Jamais il n'aurait imaginé qu'elle se montrerait aussi agressive. La femme qui avait été sa maîtresse pendant presque un an ne lui aurait jamais tenu tête avec un tel aplomb.

— Fais très attention à ce que tu dis, intima-t-il en s'avançant vers elle.

Relevant le menton, elle soutint son regard sans ciller.

— Pourquoi ?

Soudain, l'atmosphère se chargea d'électricité. Malgré la pluie et le vent glacial, une chaleur intense les enveloppa.

Submergé par une bouffée de désir, Théo dut faire appel à toute sa volonté pour garder son sang-froid. Bon sang ! S'il ne s'était pas contrôlé, il l'aurait réduite au silence par un baiser enflammé… Serrant les dents, il se contenta de darder sur elle un regard pénétrant. A en juger par ses pupilles dilatées, ses lèvres entrouvertes et sa respiration saccadée, elle partageait son trouble.

Quelques instants plus tôt, il avait eu du mal à la reconnaître mais à présent, elle lui était de nouveau très familière. Il savait exactement comment réagissait son corps. Après tout, ils avaient été amants pendant presque un an. Cette rougeur diffuse sur son visage et ce regard égaré étaient des signes très révélateurs.

Elle était en proie à un désir aussi intense que le sien.

Refermant les mains sur ses bras, il l'attira vers lui et l'obligea à se hisser sur la pointe des pieds. Il lui aurait suffi de se pencher imperceptiblement pour reprendre ce qui lui avait appartenu… Il savait qu'elle s'abandonnerait aussitôt.

Mais pas question de céder à sa libido. S'il était venu jusqu'à Londres, ce n'était pas pour se jeter sur Kerry à la première occasion. C'était uniquement pour se donner les moyens d'exécuter les dernières volontés de sa mère. Il ne devait pas perdre de vue cet objectif.

Il lâcha Kerry et s'écarta d'elle.

— Je ne suis pas venu pour ça.

Kerry était furieuse contre elle-même. Si Théo l'avait embrassée, elle n'aurait pas résisté une seule seconde… Elle lui aurait même répondu avec fougue. Mon Dieu ! Comment pouvait-elle encore être attirée par cet homme après la façon dont il l'avait traitée ? C'était insensé !

— Je ne vois pas ce que tu veux dire, déclara-t-elle.

— Bien sûr que si, mais peu importe. Parlons plutôt de ce qui m'amène ici.

— Il serait temps !

Jamais elle ne se serait crue capable de prendre un ton aussi désinvolte, songea-t-elle avec satisfaction. Etant donné que tout son corps vibrait encore de désir, c'était un véritable exploit !

Sous la pluie qui tombait de plus en plus dru, elle écarta sa frange mouillée et soutint le regard de Théo. Pas question de flancher de nouveau. Quoi qu'il fasse, elle ne se laisserait plus déstabiliser.

— Tu veux que nous allions prendre un verre quelque part ? demanda-t-il en regardant autour de lui. Il serait préférable de discuter à l'abri de la pluie.

— Non. Ma pause est presque terminée et de toute façon, je suis déjà mouillée. Je t'écoute.

Pas question de s'enfermer quelque part avec lui !

Même dans un café bondé. Cette idée était beaucoup trop perturbante…

— D'accord. Je veux acheter une île à un vieil homme un peu… buté et j'ai besoin que tu m'aides à conclure l'affaire.

Kerry en resta sans voix. Comment aurait-elle pu aider Théo à conclure une affaire ? Cela n'avait aucun sens !

— Je ne comprends pas.

— Le vieil homme en question n'a pas envie de traiter avec moi à cause du tourbillon médiatique déclenché par l'accident d'Hallie. L'image que les journalistes ont donnée de ma famille lui déplaît profondément. Il estime que je ne suis pas digne d'acheter son île.

— Je ne vois pas en quoi je pourrais t'aider, même si j'en avais envie.

— L'homme en question s'appelle Drakon Notara. Il dit t'avoir rencontrée et apparemment, il t'apprécie beaucoup.

— Drakon Notara ? Je me souviens de lui, en effet. Nous nous sommes croisés dans une soirée et il m'a longuement parlé de son île. C'est un amoureux de la nature. S'il ne veut pas te la vendre c'est certainement parce qu'il craint que tu y construises un hôtel.

— En fait, il semble plutôt s'interroger sur mon attachement aux valeurs traditionnelles comme le mariage, répliqua Théo d'un ton crispé. Il m'a invité à séjourner quelques jours sur l'île en ta compagnie. Tu vas donc venir avec moi et faire comme si tu étais ma fiancée. En aucun cas il ne doit apprendre que nous avons rompu.

— Ta fiancée ? s'exclama Kerry, effarée.

— Oui. Pendant notre séjour chez lui, nous devrons lui donner l'image d'un couple très amoureux qui envisage de se marier dans un avenir prochain.

Elle crut suffoquer d'indignation.

— Tu n'imagines tout de même pas que je vais accepter de jouer une comédie aussi ridicule pour t'aider à tromper un vieil homme charmant ?

— Je viendrai te prendre chez toi demain matin.

— Chez moi ?

Elle sentit son sang se glacer dans ses veines.

— Tu ne sais pas où j'habite !

— Bien sûr que si. Sois prête pour 6 h 30.

Elle dut faire un effort surhumain pour surmonter la panique qui la submergeait. Quelle idiote ! S'il savait où elle travaillait, il connaissait également son adresse personnelle ! Mais dans ce cas… Non, de toute évidence, il n'avait pas encore découvert l'existence de Lucas… Et il fallait à tout prix l'en empêcher !

Elle déglutit péniblement. Il avait voulu enlever son neveu à sa mère. Mieux valait ne pas imaginer quelle serait sa réaction s'il apprenait qu'il avait un fils !

— 6 h 30, demain matin chez toi, répéta-t-il d'un ton sans réplique. Inutile d'essayer de te cacher. Je te retrouverai où que tu sois.

Le lendemain matin, Kerry attendit sur le trottoir en bas de son immeuble à partir de 6 heures. Mieux valait être très en avance. En aucun cas Théo ne devait pénétrer dans son appartement : trop de signes trahissaient la présence d'un bébé.

Une demi-heure plus tard, lorsqu'elle monta dans la luxueuse limousine noire qui s'était arrêtée à sa hauteur, Kerry découvrit qu'elle voyagerait seule : Théo avait regagné Athènes la veille au soir.

— Votre billet, mademoiselle Martin, lui dit l'assistant

londonien de ce dernier, en lui tendant une enveloppe. Vous avez une place sur un vol qui décolle d'Heathrow dans une heure. Quelqu'un vous attendra à votre arrivée à Athènes pour vous conduire auprès de M. Diakos.

— Merci, répondit-elle machinalement, déstabilisée par l'absence de Théo.

Etait-il donc absolument certain qu'elle se plierait à ses exigences ? se demanda-t-elle en regardant par la vitre teintée. Lui aurait-elle laissé le souvenir d'une femme aussi docile ? Il fallait croire que oui.

S'il savait qu'en réalité, elle ne suivait ses instructions que pour mieux lui cacher son secret...

Elle ferma les yeux, croisa les bras et se recroquevilla sur elle-même. Lucas lui manquait déjà terriblement... Pourtant, il y avait à peine une demi-heure qu'elle l'avait confié à Bridget, la seule personne au monde en qui elle avait entièrement confiance. Elles avaient été élevées ensemble comme deux sœurs, et même si elle avait appris par la suite que Bridget était en réalité sa tante, le lien très fort qui les unissait ne s'était jamais relâché.

Avec Bridget, qui avait elle-même plusieurs enfants, Lucas était en sécurité. Mais si elle se sentait rassurée, la séparation n'en était pas moins douloureuse.

Malheureusement, elle n'avait pas le choix. Pour protéger son fils, elle était obligée de le quitter pendant quelques jours. Et elle ne pouvait s'empêcher d'avoir le sentiment insupportable de l'abandonner.

Théo jeta un coup d'œil à Kerry en l'aidant à descendre de l'hélicoptère, qui venait d'atterrir sur l'île de Drakon Notara. Il l'avait rarement vue aussi pâle. De toute évidence, elle était très éprouvée par le voyage.

Autrefois, elle le suivait dans tous ses déplacements sans jamais se plaindre, mais il avait très vite deviné qu'elle souffrait du mal des transports. Par ailleurs, elle avait quitté Londres très tôt ce matin et il savait que la fatigue n'arrangeait rien. Nul doute qu'elle se sentait très mal. Mieux valait qu'elle reprenne des forces avant de rencontrer Notara.

— Ma fiancée a besoin de respirer un peu d'air pur, déclara-t-il à la gouvernante de ce dernier, venue à leur rencontre. Vous pouvez nous laisser, je connais le chemin de la maison. Nous arrivons dans quelques instants.

Il prit Kerry par la taille et la sentit se raidir.

— N'oublie pas que tu es censée être amoureuse, lui murmura-t-il à l'oreille, tandis que la gouvernante s'éloignait. Tu dois être crédible.

Prenant une profonde inspiration, Kerry s'efforça de se détendre. Apparemment, Théo avait compris qu'elle était malade. C'était surprenant. Autrefois, il n'avait jamais remarqué qu'elle était sujette au mal des transports. Il était vrai que l'anxiété aggravait encore son état et qu'elle devait avoir une mine épouvantable…

— Appuie-toi contre moi, ajouta-t-il en resserrant son étreinte.

Elle s'exécuta et se laissa entraîner sur le chemin rocailleux. Peu à peu, les sensations déclenchées en elle par le contact du corps de Théo contre le sien détournèrent son attention de ses nausées.

Leurs cuisses se frôlaient à chaque pas. Plus ils avançaient, plus elle sentait son trouble s'intensifier.

— Tu te sens un peu mieux ? demanda-t-il au bout d'un moment.

Au son de sa voix profonde, Kerry fut parcourue d'un

long frisson. Mon Dieu, comme elle se sentait vulnérable, tout à coup…

Levant les yeux vers lui, elle croisa son regard. Il l'observait d'un air songeur. Jamais encore il ne l'avait regardée ainsi. Comme s'il essayait de lire dans ses pensées. Comme s'il pressentait qu'elle lui cachait quelque chose…

Mais peut-être était-ce un effet de son imagination. Après tout, autrefois elle n'avait jamais rien eu à lui cacher. Alors qu'aujourd'hui… Elle avait tellement peur qu'il découvre son secret qu'elle ne pouvait s'empêcher d'être constamment sur ses gardes.

— Nous sommes bientôt arrivés, dit-il en s'immobilisant.

Se tournant vers elle, il lui prit le visage à deux mains.

— Drakon Notara est âgé, mais il a encore l'esprit vif. Il va nous épier. Par conséquent, il faudra jouer consciencieusement ton rôle de fiancée, en toute circonstance.

— L'idée de lui mentir ne me plaît pas du tout, répliqua-t-elle en s'écartant légèrement de lui.

La rencontre avec Drakon lui avait laissé un bon souvenir. C'était un homme un peu bourru, mais dans le fond très sympathique.

— Cela me donne mauvaise conscience.

— Si nous sommes suffisamment convaincants, il ne te posera sans doute pas de questions délicates. Après tout, les actes sont plus éloquents que les paroles.

Avant qu'elle ait le temps de comprendre son intention, il l'attira contre lui et s'empara de sa bouche.

4.

Malgré elle, Kerry répondit instinctivement au baiser de Théo. Les jambes tremblantes, elle se laissa aller contre lui et ses lèvres s'entrouvrirent d'elles-mêmes.

Il mêla sa bouche à la sienne avec une fougue qui la ramena plus d'un an en arrière. A l'époque où un simple baiser suffisait à l'enflammer tout entière.

Submergée par un désir irrépressible, elle noua les bras sur la nuque de Théo et se plaqua contre lui, l'encourageant à approfondir son baiser.

Quelques secondes plus tard, il l'interrompit brusquement.

Laissant échapper un petit cri étranglé, elle vacilla sur ses jambes tandis qu'il s'écartait d'elle.

— Très convaincant, commenta-t-il d'un ton neutre en scrutant son visage.

Elle le regarda avec effarement. Depuis leur séparation, elle avait souvent rêvé que Théo l'embrassait. Mais dans ses fantasmes, il mettait toute son âme dans son baiser. Il était revenu la chercher parce qu'il s'était rendu compte qu'il avait commis une terrible erreur. Il n'avait pas supporté leur séparation et il avait fini par comprendre qu'il l'aimait.

Jamais elle n'avait imaginé la scène telle qu'elle venait

41

de se passer… Alors que ce baiser l'avait embrasée, il avait manifestement laissé Théo de glace !

Quelle humiliation ! Les joues en feu, elle baissa les yeux. Comment avait-elle pu être dupe de cette comédie ignoble ? Soudain, la honte laissa place à la colère. Relevant les yeux, elle plongea son regard dans celui de Théo.

— Tant mieux, répliqua-t-elle d'un ton froid qui la surprit elle-même. Je ne veux pas que Drakon Notara puisse soupçonner que je le trompe délibérément. Mais à présent que je t'ai démontré mes talents de comédienne, il n'y aura plus de démonstration gratuite. Je suis ici pour t'aider à convaincre Drakon de te vendre son île. Rien de plus.

Théo arqua les sourcils, visiblement surpris. Mais presque aussitôt, un sourire narquois apparut sur ses lèvres. Aurait-il deviné qu'elle mentait ? se demanda-t-elle avec dépit.

Il se contenta de la reprendre par la taille pour l'entraîner vers la maison.

— Il paraît que vous étiez souffrante à votre arrivée, déclara Drakon Notara en dardant sur Kerry un regard aigu. J'espère que vous vous sentez mieux ?

— Oui, beaucoup mieux. Merci.

Kerry lui sourit et but une gorgée de thé. Quel cadre idyllique ! La petite terrasse à l'ombre des oliviers offrait une vue spectaculaire sur la mer Egée, et Drakon était aussi charmant que dans son souvenir. Dommage que les circonstances de ce séjour soient aussi perturbantes…

— Kerry souffre du mal des transports, déclara Théo.

Elle lui jeta un coup d'œil surpris. A leur descente d'hélicoptère, elle avait cru que c'était juste sa mauvaise mine qui l'avait alerté. Mais de toute évidence, il était parfaitement conscient de son problème.

— En général, un peu de repos suffit à la revigorer, ajouta-t-il.

— Ça doit être très désagréable, déclara Drakon. Surtout quand on voyage aussi souvent.

Théo prit un air contrit.

— J'avoue que j'ai mauvaise conscience, mais je l'emmène partout parce que je ne supporte pas d'être séparé d'elle.

— L'amour est parfois très égoïste, commenta Drakon en buvant une gorgée d'ouzo.

— C'est vrai.

Sous le regard pénétrant de Théo, Kerry fut assaillie par un trouble profond. Pour se donner une contenance, elle porta sa tasse de thé à ses lèvres. Le tour que prenait la conversation était très déstabilisant…

A l'époque où elle s'était installée chez lui, Théo lui avait dit la même chose. Il voulait qu'elle l'accompagne dans tous ses voyages parce qu'il ne supportait pas d'être séparé d'elle. A l'époque, elle en avait été bouleversée. Cet aveu lui avait donné le sentiment d'être quelqu'un de très précieux, ce qui ne lui était jamais arrivé.

Pendant toute son enfance et son adolescence, elle s'était sentie rejetée. Elle avait compris instinctivement qu'elle n'était pas aimée. A dix-huit ans, elle en avait eu la confirmation : sa grand-mère ne s'était chargée d'elle qu'à contrecœur. Par devoir sans doute et peut-être aussi, de manière perverse, pour punir sa fille adolescente.

Kerry déglutit péniblement. En réalité elle n'était pas plus précieuse pour Théo que pour sa grand-mère. S'il avait tenu à elle, il ne l'aurait pas chassée de chez lui aussi brutalement. Il ne l'avait jamais aimée et il ne l'aimerait jamais…

Voilà une chose qu'elle ferait bien de ne pas oublier. S'il l'avait amenée sur cette île, c'était uniquement parce qu'il avait besoin d'elle. Et tout ce qu'il pouvait dire ou faire était destiné à Drakon. Pas à elle.

— Si vous le permettez, nous aimerions visiter l'île demain, déclara Théo.

— Nous parlerons de ça plus tard, répliqua Drakon en se tournant vers Kerry. Il y a très longtemps que je ne vous ai pas vue, ma chère. Je sais que je ne quitte pas souvent cette retraite, mais ces derniers mois, je me suis quand même rendu plusieurs fois à Athènes, et j'ai assisté à des soirées où j'espérais vous rencontrer.

L'estomac de Kerry se noua. C'était le moment ou jamais de se montrer convaincante…

— En effet, j'ai été obligée de m'absenter. J'ai passé beaucoup de temps à Londres… dans ma famille.

Avec un pincement au cœur, elle écarta sa frange de ses yeux. Son bébé… comme il lui manquait !

— Rien de grave, j'espère ? demanda le vieil homme d'un ton plein de sollicitude. Personne de malade ?

— Non, pas du tout.

Kerry fut submergée par la culpabilité. C'était sans doute stupide, mais en cachant son existence, elle avait l'impression de trahir son fils.

Prenant une profonde inspiration, elle adressa au vieil homme un sourire qu'elle espérait rassurant.

— Ne vous inquiétez pas. Tout le monde va très bien.

— Je suis ravi de l'entendre.

Drakon s'appuya sur la table pour se lever.

— Je vais me reposer un peu avant le dîner. Visitez la

maison, si ça vous intéresse. Demain, vous pourrez faire le tour de l'île.

Kerry se leva à son tour, tandis que Théo se dirigeait vers la porte de la maison pour l'ouvrir.

— Je suis capable de me débrouiller seul ! lança Drakon en roulant les yeux d'un air exaspéré. Je n'ai pas besoin de votre aide !

Kerry ne put s'empêcher de sourire. Décidément, leur hôte lui plaisait beaucoup. Il fallait reconnaître que le voir rabrouer Théo était réjouissant...

Mais elle surprit le regard pénétrant de ce dernier et son sourire se figea. Il semblait voir jusqu'au plus profond de son âme...

— Qu'y a-t-il de si drôle ? demanda-t-il lorsque Drakon eut disparu dans la maison.

Elle détourna les yeux.

— Rien de spécial. J'aime beaucoup Drakon, c'est tout. C'est un plaisir de le revoir.

Déglutissant péniblement, elle reporta son attention sur la vue. En contrebas de la maison se déployait une baie superbe. Des pins accrochés aux rochers semblaient se préparer à plonger dans l'eau émeraude.

Malheureusement, elle avait beau tenter de se concentrer sur le paysage, elle restait beaucoup trop consciente à son goût de la présence toute proche de Théo.

Soudain, elle sentit ses bras se refermer autour de sa taille dans un geste possessif qui la fit tressaillir. Il effleura du bout des doigts la fine bande de peau dénudée entre son T-shirt et sa jupe. A son grand dam, elle fut envahie par une vive chaleur.

— C'est un plaisir de *te* revoir, déclara-t-il en glissant une main sous son T-shirt.

Elle voulut s'écarter mais il la retint fermement contre lui.

— C'est un plaisir aussi de te toucher.

— Ce n'était pas prévu dans notre accord, protesta-t-elle, tandis que Théo glissait son autre main sous la ceinture de sa jupe.

— Nous n'avons conclu aucun accord, murmura-t-il à son oreille. Tu es venue parce que je te l'ai demandé. Et parce que tu en avais envie.

— Non ! Je…

Kerry s'étrangla. Théo lui embrassait la nuque, déclenchant une rafale de frissons.

Si seulement elle parvenait à garder son sang-froid ! se dit-elle avec désespoir. Mais comment réprimer les tremblements de son corps ? Si elle était sensible au moindre contact, c'était sans doute parce qu'il y avait longtemps que Théo ne l'avait pas touchée. Sentir son souffle chaud contre sa peau tandis qu'il parsemait sa nuque de baisers était l'une des expériences les plus sensuelles qu'elle avait jamais vécues…

A son grand dam, elle laissa échapper un soupir tremblant. Aussitôt, il plaqua son bassin contre ses fesses. Au contact de sa virilité pleinement éveillée, elle fut submergée par une vague de désir qui lui coupa le souffle. Son cœur s'affola dans sa poitrine.

— Ça m'a manqué, murmura-t-il. Et je vois que ça t'a manqué autant qu'à moi.

— Pas du tout…

La voix de Kerry s'éteignit, tandis qu'il lui mordillait le lobe de l'oreille. Serrant les dents, elle s'efforça d'ignorer les sensations délicieuses qui l'assaillaient.

Il fallait absolument l'empêcher de continuer ! Elle avait trop envie de lui. Si elle se laissait aller, elle finirait par le supplier de lui faire l'amour. Or, il n'en était pas question. Pas après la façon dont il l'avait traitée…

Faisant appel à toute sa volonté, elle tenta de se dégager de son étreinte.

— Je veux voir la maison.. Tu devrais être impatient de la visiter, puisque tu veux acheter l'île.

Réprimant un sourire, Théo la lâcha. Il mourait d'envie de lui arracher ses vêtements, mais ce n'était pas le moment.

Son désir pour lui était intact, il en était persuadé. Comme autrefois, elle s'embrasait tout entière dès qu'il la touchait et elle était incapable de le cacher. Et à vrai dire, ses efforts pour se dérober la rendaient encore plus attirante…

Il la suivit sous les arbres. La vue sur la baie était sublime mais il n'avait d'yeux que pour les hanches de Kerry, qui ondulaient sensuellement à chacun de ses pas.

Bon sang, comme son corps superbe lui avait manqué ! Combien de fois avait-il regretté de ne plus pouvoir se perdre en elle ? Bien sûr, il ne lui pardonnerait jamais de s'être mêlée de ce qui ne la regardait pas, et elle ne partagerait plus jamais sa vie.

Mais dès cette nuit, elle partagerait de nouveau son lit.

— Drakon veut que cette île reste telle qu'elle est, déclara-t-elle soudain. Il tient à préserver la nature. Il ne supporterait pas qu'elle soit défigurée par du béton.

— Ce n'est pas mon intention, répliqua-t-il distraitement en s'efforçant de chasser de son esprit toutes les images érotiques qui s'y bousculaient.

— Je me demande où il a l'intention de vivre une fois qu'il l'aura vendue.

— En fait, je pense qu'il aimerait finir ses jours ici. Cependant, il veut laisser ses affaires en ordre pour sa fille qui vit sur le continent avec sa famille. Mais d'après ce que j'ai compris, elle n'est pas très disponible. Elle doit s'occuper de son mari, qui est resté handicapé après un accident. Drakon ne veut pas alourdir son fardeau.

— Ça ne m'étonne pas. C'est un homme plein de délicatesse.

La jeune femme s'immobilisa et se retourna vers Théo. La brise de mer faisait voler ses cheveux et elle écarta sa frange de ses yeux.

— Mais comment sais-tu tout cela ? Je ne pense pas que ce soit lui qui te l'ait dit. Il ne semble pas du genre à faire ce genre de confidences.

Sans répondre il lui prit la main, émerveillé par la finesse de ses doigts.

— Pourquoi t'es-tu coupé les cheveux ?

Visiblement surprise par cette question, elle écarquilla les yeux. Dans la lumière méditerranéenne, ils étaient bien bleu pervenche comme dans son souvenir, constata-t-il.

— J'avais envie de changer. Mais maintenant je laisse de nouveau pousser ma frange. C'est pour ça qu'elle me tombe sans arrêt dans les yeux.

Elle retira sa main de la sienne et ajouta :

— Je vais me changer pour le dîner.

— D'accord. Je vais faire un tour. Je te rejoindrai plus tard.

Elle tourna les talons et se dirigea vers la maison.

Théo la suivit des yeux, fasciné par sa démarche ondulante. Son corps semblait un peu différent… Plus épanoui, peut-être. Mais sans doute n'était-ce qu'une impression. Le désir qui le taraudait devait stimuler son imagination. Pourtant, ses seins lui avaient paru plus pleins également, tout à l'heure… Crispant les mâchoires, il dut faire appel à toute sa volonté pour ne pas la suivre.

Terriblement consciente du regard brûlant de Théo dans son dos, Kerry pénétra dans la pénombre de la maison avec un immense soulagement. Mon Dieu ! Elle n'aurait jamais dû accepter de l'accompagner. Ce séjour allait être un véritable enfer !

Une fois dans la chambre, elle prit une douche et se rhabilla en toute hâte. Il fallait absolument qu'elle soit prête avant l'arrivée de Théo. Ses intentions étaient limpides et elle avait bien trop peur de ne pas avoir la force de lui résister !

Dès qu'elle fut prête, elle s'empressa de quitter la chambre. Dans le couloir, elle admira les tableaux qui égayaient les murs blanchis à la chaux. Apparemment, ils représentaient tous des vues de l'île et avaient été peints par le même artiste. Pourquoi lui semblaient-ils familiers ? C'était étrange…

Elle était encore en train de les admirer lorsque Théo fit irruption dans le couloir, manifestement essoufflé. A son grand dam, elle sentit son cœur s'affoler dans sa poitrine lorsqu'il s'immobilisa à côté d'elle. La chaleur qui émanait de son corps et son parfum musqué la troublaient beaucoup plus qu'elle ne l'aurait voulu.

— J'ai mis plus longtemps que je ne le pensais pour remonter par le chemin de la falaise, déclara-t-il. Drakon nous attend pour dîner. Rejoins-le, j'arrive dans un instant.

Elle s'empressa de gagner la salle à manger. Discuter avec Drakon était moins dangereux que de rester en compagnie de Théo… Et elle avait des questions à lui poser au sujet des tableaux.

Théo les rejoignit quelques minutes plus tard et le repas commença dans une atmosphère détendue qui la rassura.

A son grand soulagement, la conversation tourna autour de sujets généraux et Drakon ne lui posa aucune question personnelle. Il était certes un peu bourru, mais une grande sensibilité perçait sous ses remarques incisives.

Quant à Théo, il était charmant et plein d'attentions pour elle. Comme à l'époque où ils vivaient ensemble… Sauf que ce soir, ce n'était qu'une comédie. Et il fallait reconnaître qu'il jouait son rôle à la perfection.

Tout à coup, elle sentit un grand froid l'envahir. Peut-être lui avait-il *toujours* joué la comédie…

S'il était capable de se montrer aussi charmant aujourd'hui, alors qu'il n'avait plus la moindre estime pour elle, comment être certaine qu'il était sincère autrefois ? Peut-être n'avait-elle été pour lui qu'une maîtresse docile et peu exigeante, prête à le suivre partout et à rester à son entière disposition en toute circonstance…

Et s'il ne s'intéressait qu'à son corps depuis toujours ?

Cette pensée lui fit l'effet d'une gifle.

A en juger par sa prestation de ce soir, c'était un comédien hors pair. Alors, comment savoir si l'affection qu'il lui avait témoignée était sincère ? C'était impossible. Elle n'avait aucun moyen de connaître la réponse à cette question.

Bien sûr, elle savait déjà qu'il ne l'avait jamais aimée. Il le lui avait prouvé le jour où il l'avait chassée de chez lui. Mais de là à imaginer qu'il n'avait éprouvé aucun sentiment pour elle… Cela ne lui était jamais venu à l'idée. Malheureusement, ce n'était pas exclu.

Que faisait-elle ici avec lui ? Pourquoi avait-elle accepté de le suivre, une fois de plus ? Sa place était à Londres, auprès de son fils.

Une détresse accablante étreignit soudain Kerry. Comme Lucas lui manquait ! Elle n'avait jamais passé une seule nuit loin de lui. Bridget l'avait sans doute déjà couché. S'était-il endormi rapidement ? Ou bien avait-il pleuré parce que sa mère lui manquait ?

— Kerry ?

La voix de Théo la fit tressaillir. Apparemment, il lui avait parlé et elle n'avait pas entendu.

— Notre hôte se retire et nous souhaite une bonne nuit.

Elle leva un regard contrit vers Drakon. Les traits tirés, le vieil homme semblait épuisé. Pourvu qu'il n'ait pas remarqué qu'elle avait l'esprit ailleurs depuis un moment… Elle s'efforça d'arborer un large sourire.

— Ce dîner était délicieux et j'ai passé une soirée très agréable.

— Malheureusement, je n'ai plus la même résistance qu'autrefois.

Drakon s'appuya sur la table pour se lever.

Aussitôt elle bondit sur ses pieds.

— Laissez-moi vous aider.

— Avec plaisir. Comment pourrais-je refuser l'aide d'une jeune femme aussi charmante ?

Drakon s'efforçait de prendre un ton badin, mais il était visiblement à bout de forces. Kerry le soutint jusqu'au seuil de la pièce, où sa gouvernante l'attendait avec un fauteuil roulant. Il s'y laissa tomber avec un soulagement manifeste.

— J'aurais préféré vous épargner la vue de cet engin, marmonna-t-il. Je n'en ai pas réellement besoin, mais…

— Merci encore pour votre hospitalité, répliqua Kerry d'une voix douce, en se penchant vers lui pour déposer un baiser sur sa joue.

Lorsque sa gouvernante l'eut emmené, elle prit une profonde inspiration et se tourna vers Théo. Il la fixait d'un regard étincelant, constata-t-elle, l'estomac noué. Si seulement elle avait pu disparaître d'un coup de baguette magique ! Elle aurait tout donné pour se retrouver à Londres avec son bébé...

— Enfin seuls.

A son grand dam, la voix caressante de Théo l'électrisa. Elle serra les dents, furieuse contre elle-même. Pas question de tomber dans le piège.

— M'as-tu toujours joué la comédie ? s'entendit-elle demander d'un ton agressif.

5.

— Je ne suis pas certain d'avoir compris ta question.

Théo rejoignit Kerry et referma les bras sur elle.

— Allons dans la chambre. Nous pourrons y discuter plus tranquillement.

— Je suis sûre que tu as très bien compris, au contraire ! rétorqua-t-elle en tentant de s'écarter de lui.

Il resserra son étreinte et l'entraîna vers la porte.

Réprimant un soupir, Kerry se résigna à le suivre. Impossible de lui résister sans faire une scène.

Si seulement il ne la serrait pas aussi étroitement contre lui… A chaque pas, elle sentait le mouvement de sa hanche et de sa cuisse contre les siennes et elle avait l'impression qu'un courant chaud émanant de son corps se diffusait dans le sien.

Peu à peu, elle se sentait envahie malgré elle par un trouble croissant. Son cœur battait de plus en plus vite et elle avait de plus en plus de mal à respirer normalement.

Non ! Il fallait à tout prix qu'elle se ressaisisse ! Cet homme n'était qu'un hypocrite et un manipulateur… Pas question de retomber sous son charme !

Avec l'énergie du désespoir, elle s'efforça de ranimer la colère qui s'était emparée d'elle quelques instants plus tôt.

En vain. Son esprit était impuissant contre les sensations qui l'assaillaient de toutes parts.

— Si nous reportions notre discussion à plus tard ? suggéra-t-il en refermant la porte de la chambre derrière eux.

Il l'obligea à lui faire face et l'attira contre lui.

— J'ai d'autres idées, beaucoup plus exaltantes.

— Non, répliqua-t-elle en posant les mains sur son torse pour le repousser. Je veux que tu répondes à ma question. M'as-tu toujours joué la comédie ?

— La comédie ?

Il plongea dans le sien un regard étincelant qui l'électrisa.

— Comment peux-tu imaginer que je te joue la comédie ? Personne n'est capable de feindre une attirance aussi irrépressible.

— Je ne parle pas de l'attirance.

Kerry déglutit péniblement. Pourquoi le torse de Théo dégageait-il une telle chaleur ? Celle-ci était perceptible même à travers le tissu de sa chemise... Et elle n'avait qu'une envie, déboutonner celle-ci pour sentir sa peau nue sous ses doigts.

— Je voudrais savoir si...

Avant qu'elle ait le temps de terminer sa phrase, il captura sa bouche. Un petit cri de surprise lui échappa et il en profita pour plonger la langue entre ses lèvres ouvertes.

Aussitôt, Kerry fut submergée par une vague de désir qui lui arracha un gémissement. Sa volonté était réduite à néant par l'explosion de sensations pures qui l'embrasaient tout entière. Vibrante d'excitation, elle noua les bras sur sa nuque et s'alanguit contre lui.

Il la couvrit de caresses fébriles tout en approfondissant son baiser. Comment résister ? Elle ne s'appartenait plus...

Perdant toute velléité de rébellion, elle lui rendit son baiser avec ardeur.

Lorsqu'elle sentit ses mains se glisser sous sa robe, elle crut défaillir. Oh, oui ! Comme elle avait envie de lui ! C'était plus fort qu'elle. S'il s'arrêtait brusquement, elle en mourrait…

La soulevant de terre, il la déposa sur le lit et se pencha sur elle. Le souffle court, Kerry regarda avec fascination son visage aux traits altérés par le désir.

Une des mains de Théo remonta lentement le long de sa cuisse, faisant courir des frissons dans tout son corps. Oh, oui… Comme elle était impatiente de s'unir de nouveau à lui… De ne faire plus qu'un avec lui…

Mais cela n'arriverait jamais. Pas réellement. Pas comme elle le voulait. Car il ne l'aimait pas. Il ne l'avait jamais aimée.

— Non !

La voix étranglée de Kerry était à peine audible, mais Théo se figea et sa main s'immobilisa en haut de sa cuisse.

— Ne me dis pas que tu n'as pas envie de moi.

— Non, pas comme ça, répliqua-t-elle en s'efforçant de réprimer les frissons qui la parcouraient.

Si seulement il pouvait enlever sa main… Au moindre mouvement, elle effleurerait la fleur de sa féminité et lui ferait perdre la raison.

— Je veux une réponse à ma question, ajouta-t-elle avec une assurance qu'elle était loin de ressentir.

— J'ai déjà répondu. Il est impossible de feindre un désir aussi intense.

Il pressa légèrement ses doigts sur sa cuisse et ce simple geste suffit à déclencher en elle des petites ondes de plaisir.

A son grand dam, un petit gémissement lui échappa. Désespérée, elle ferma les yeux. Pourquoi était-elle aussi faible ?

— Et tu as envie de faire l'amour autant que moi, alors où est le problème ?

Elle rouvrit les yeux.

— Ce n'est pas de l'amour.

— Non, en effet. C'est une façon de parler. Il n'a jamais été question d'amour entre nous.

Trouvant enfin la force d'écarter la main de Théo, elle se redressa contre les oreillers.

— Mais autrefois… j'avais l'impression que tu éprouvais quand même des sentiments pour moi.

— Des sentiments ?

Théo darda sur elle un regard outré. Comment osait-elle parler de sentiments ? Elle avait trahi sa confiance, semé le désordre en agissant derrière son dos. Elle avait même failli déclencher une véritable tragédie !

— Qu'est-ce qui te prend ? lança-t-il d'un ton méprisant. Où veux-tu en venir ? Tu essaies de me manipuler ? Tu t'imagines que je vais me laisser faire ?

Il observa attentivement la jeune femme. Ses joues étaient rouges, sa respiration rapide. Elle était aussi excitée que lui… Alors, pourquoi gâchait-elle tout ? Espérait-elle lui extorquer une déclaration d'amour ? C'était grotesque !

— Moi, te manipuler ? s'exclama-t-elle en reculant jusqu'à l'autre bout du lit. C'est toi qui as toujours tiré les ficelles de notre relation ! Et tu continues encore aujourd'hui, après m'avoir mise à la porte depuis plus d'un an.

— Notre liaison n'existe plus, objecta-t-il sèchement. Elle a pris fin le jour où tu as trahi ma confiance.

S'imaginait-elle vraiment qu'il avait l'intention de reprendre leur relation ? C'était ridicule ! Ce n'était pas parce qu'il la désirait encore qu'il allait de nouveau la faire entrer dans sa vie !

— Tu m'as jetée dehors il y a plus d'un an et aujourd'hui, tu renoues avec moi parce que ça t'arrange.

Il poussa un soupir exaspéré.

— Il n'a jamais été question que je renoue avec toi, bon sang !

— Mais tu m'as quand même demandé de t'accompagner ici. Et tu sèmes délibérément la confusion dans mon esprit en te montrant très attentionné et en te jetant sur moi à la moindre occasion.

— Tu connais parfaitement les raisons de ta présence ici. Je te les ai expliquées. Il faut donner à Notara l'image d'un couple de fiancés amoureux. Alors, ne fais pas semblant d'être surprise des attentions que j'ai pour toi devant lui. Et pour le reste, je ne vois pas de quoi tu te plains. Tu me désires autant que je te désire.

Au comble de l'humiliation, Kerry se mordit la lèvre, les joues en feu. Malheureusement, il avait raison. En dépit de tout, elle était toujours aussi attirée par lui.

— Je n'ai jamais compté pour toi, murmura-t-elle.

Pourquoi sa voix tremblait-elle autant ? Il ne manquerait plus qu'elle se mette à pleurer devant lui ! Furieuse contre elle-même, Kerry prit une profonde inspiration avant d'ajouter :

— Sinon, tu n'aurais jamais pu me mettre à la porte aussi brutalement.

Il la regarda d'un air incrédule.

— Après ce que tu as fait, tu t'étonnes que je t'aie mise à la porte ? C'est un comble !

Submergée par un profond désespoir, elle eut toutes les peines du monde à refouler ses larmes. Inutile de continuer à discuter. Elle venait d'avoir la preuve qu'il n'avait jamais tenu à elle. Voilà pourquoi il avait été aussi facile pour lui de rompre.

— Va-t'en. Je ne veux pas dormir dans la même chambre que toi.

— Pas question. Si je demande une autre chambre, cela va éveiller les soupçons de Notara.

— Alors, c'est moi qui m'en vais.

Elle se leva d'un bond et se dirigea vers la porte.

Théo fut rapide comme l'éclair. Il contourna le lit et la rattrapa juste au moment où elle tendait la main vers la poignée. La saisissant par le bras, il la fit pivoter sur elle-même et la plaqua contre le mur.

— Ne fais rien que tu pourrais regretter, dit-il d'une voix menaçante.

— Trop tard, répondit-elle, la mort dans l'âme. Je regrette déjà d'être venue ici avec toi.

Glissant une jambe entre ses cuisses, il plongea son regard dans le sien. Effrayée par la colère qui faisait étinceler ses yeux, Kerry retint son souffle.

Soudain, il la lâcha, si abruptement qu'elle bascula en avant.

Elle vacilla un instant et lorsqu'elle retrouva enfin son équilibre, elle promena autour d'elle un regard stupéfait. Elle était seule… Comment avait-il fait pour ouvrir et refermer la porte aussi silencieusement ? Il semblait s'être volatilisé.

Elle se laissa tomber sur le lit. Serrant les dents, elle retint les larmes qui lui brouillaient la vue. Non, plus jamais elle ne verserait une larme à cause de Théo Diakos ! Et plus jamais elle ne se laisserait déstabiliser à cause de lui.

Malheureusement, elle était liée à lui pour la vie. Elle

aurait beau faire des efforts désespérés pour l'oublier, elle n'y parviendrait jamais.

Parce qu'elle était la mère de son fils.

Le lendemain matin, Kerry se réveilla au son de la douche, qui coulait dans la salle de bains attenante à la chambre. A l'évidence, Théo était revenu, mais quand? Elle n'avait rien entendu. Elle avait eu un mal fou à trouver le sommeil, mais il ne l'avait pas réveillée en rentrant dans la chambre.

Venait-il juste de revenir pour prendre sa douche après avoir dormi ailleurs, ou bien s'était-il glissé dans le lit pendant qu'elle dormait? Mieux valait ne pas chercher à connaître la réponse à cette question…

Elle s'empressa de se lever, prit des vêtements propres dans sa valise et s'assit dans un fauteuil avec un magazine. Dès que Théo sortirait de la salle de bains, elle s'y précipiterait. Car après leur dispute, elle préférait être lavée et habillée avant d'être obligée de lui adresser de nouveau la parole. Nul doute qu'il allait lui faire payer de ne pas s'être pliée docilement à sa volonté, la veille au soir…

Quelques instants plus tard, la porte de la salle de bains s'ouvrit.

— Bonjour.

La voix de Théo semblait plus rauque qu'à l'accoutumée. Sans doute n'avait-il pas beaucoup dormi. Cependant, son ton était neutre. Apparemment, sa colère était retombée. Soulagée, elle se retourna vers lui.

— Bonj…

Le souffle coupé, elle s'étrangla. Théo était entièrement nu à l'exception d'une serviette blanche drapée sur ses hanches. Cette vision l'électrisa et son esprit se vida instantanément de toute pensée cohérente.

Comme il était sexy avec ses cheveux mouillés tout ébouriffés et sa peau luisante parsemée de gouttes d'eau…

Tandis qu'il s'avançait vers elle, Kerry restait clouée sur place, incapable de détacher les yeux de son corps athlétique. Le mouvement de ses muscles sous sa peau hâlée était fascinant. Et très troublant, malheureusement…

Son regard ébloui se promena sur son torse puissant, son ventre plat, puis descendit encore…

Un éclair de désir la transperça. Le désir que Théo éprouvait était flagrant et il ne faisait aucun effort pour le dissimuler… Le corps en feu, elle se mordit la lèvre.

Incapable de réprimer son trouble, elle crispa les doigts sur les vêtements propres qu'elle avait préparés et les pressa contre sa poitrine avant de se lever, les jambes tremblantes. Il fallait absolument qu'elle s'échappe au plus vite. L'humiliation qu'elle avait subie hier avait été trop cuisante. Elle ne supporterait pas de revivre une expérience aussi pénible.

— Il est inutile de te presser, déclara-t-il en lui barrant le passage, Drakon ne peut pas nous voir pour l'instant.

— Oh…

Elle dut rassembler tout son courage pour affronter son regard. Son cœur s'affola de plus belle dans sa poitrine, tandis qu'il écartait une mèche de sa joue. Inutile d'être très perspicace pour deviner ce qu'il avait en tête… Et en dépit de tout, elle ne pouvait s'empêcher d'être tentée.

Lorsque ses doigts effleurèrent sa peau, elle réprima un frisson. Non ! Pas question de céder au désir qui la submergeait !

Les joues en feu, elle le contourna d'un mouvement vif.

Sa main quitta sa joue et effleura furtivement son bras, mais il ne tenta pas de la retenir.

Lorsqu'elle ressortit de la salle de bains entièrement habillée, Théo avait de nouveau disparu. Submergée par un immense soulagement, Kerry constata que le petit déjeuner avait été servi sur le balcon.

La table n'était dressée que pour une personne, parce que Théo ne prenait jamais de petit déjeuner. Comment pouvait-il travailler et prendre des décisions importantes sans avoir rien avalé de plus qu'un café ? Elle ne l'avait jamais compris. Pour sa part, si elle ne mangeait rien au lever, elle avait des vertiges.

Elle s'assit avec un petit soupir d'aise. Quel plaisir de se retrouver seule ! Et quelle vue fantastique ! De ce côté de la maison, le terrain descendait en pente douce vers la mer et le feuillage vert argent des oliviers chatoyait sous les premiers rayons du soleil. Plus loin, proche et lointaine à la fois, l'eau d'un bleu encore pâle était nimbée d'une légère brume qui ne tarderait pas à se dissiper.

Kerry finissait de manger lorsque Théo revint.

— Mauvaise nouvelle, déclara-t-il en la rejoignant sur le balcon. Drakon est souffrant et nous ne pourrons pas le voir ce matin. Cependant, il nous a donné le feu vert pour grimper au sommet de la colline.

— Oh… j'espère que ce n'est pas grave et qu'il va se remettre rapidement.

— Aucune idée, répliqua Théo d'un air indifférent.

Il se pencha par-dessus la balustrade.

— D'après ce que j'ai compris, sa santé n'est pas fameuse depuis quelque temps. Je pense que c'est d'ailleurs pour cette raison qu'il envisage de vendre l'île. As-tu apporté des chaussures de marche ? Le chemin risque d'être assez traître.

Kerry jeta un coup d'œil irrité à Théo. De toute évidence, il se moquait éperdument que Drakon soit malade ! Tout ce qui l'intéressait, c'était l'affaire qu'il était venu conclure.

— Donne-moi quelques instants pour me changer, déclara-t-elle d'un ton sec en rentrant dans la chambre sans le regarder.

— L'île est petite. Elle ne mesure que quelques kilomètres de large et ne comporte aucune route praticable, expliqua-t-il quelques instants plus tard. Mais du haut de la colline, nous devrions avoir une bonne vue d'ensemble.

Théo s'écarta pour laisser Kerry franchir le seuil de la maison et promena un regard appréciateur sur ses courbes voluptueuses, mises en valeur par son pantalon moulant. Son corsage ample flottait dans la brise légère qui soufflait de la mer, se plaquant par instants contre ses seins.

— Pauvre Drakon ! dit-elle en voyant la table à l'ombre des oliviers. J'espère qu'il va se rétablir très vite. C'est tellement dommage de rester enfermé dans un si bel endroit…

Ils s'éloignèrent de la maison et commencèrent à monter à travers les arbres. Après une bonne heure de marche, ils atteignirent le bout de l'oliveraie. Devant eux, le chemin continuait en pente raide jusqu'au sommet de la colline.

— Tu veux te reposer un instant ? demanda Théo en se tournant vers Kerry.

Il n'avait pas prononcé un seul mot depuis qu'ils avaient quitté la maison et malgré son ton neutre, elle eut le sentiment qu'il n'avait aucune envie de faire une pause.

— Non, ce n'est pas la peine, s'empressa-t-elle de répondre.

De toute façon, elle n'avait aucune envie de s'asseoir avec lui en pleine nature…

Regardant droit devant lui, il se remit en route d'un pas vif. Elle le suivit vaillamment en s'efforçant d'ignorer ses courbatures. Cette colline avait tout d'une véritable montagne…

Lorsqu'ils atteignirent enfin le sommet, elle était moulue et essoufflée. Réprimant une grimace, elle s'assit sur un rocher pour reprendre son souffle et admirer le paysage, pendant que Théo explorait les environs.

La brume s'était levée, dégageant la vue sur l'île voisine, beaucoup plus grande. D'après Drakon, elle était moins sauvage que la sienne, mais peu peuplée.

— Nous pouvons redescendre, déclara Théo quelques minutes plus tard en la rejoignant.

— Nous venons à peine d'arriver ! s'exclama-t-elle avec stupéfaction.

— J'ai vu tout ce que j'avais besoin de voir. De toute façon, rien ne me fera changer d'avis. Je veux acheter cette île et je n'ai pas l'intention de rater la moindre occasion de faire avancer les négociations. Je préfère rentrer sans attendre, au cas où Drakon se sentirait suffisamment en forme pour discuter.

Indignée, elle le foudroya du regard.

— Il est malade ! Tu pourrais le laisser tranquille !

— Je n'ai aucune intention de troubler sa tranquillité. Je veux juste discuter de la vente. C'est pour ça que je suis ici. Pas pour faire du tourisme. On y va ?

Kerry serra les dents. Si encore ils avaient grimpé tranquillement en prenant le temps d'apprécier la promenade ! Mais non. Il l'avait entraînée jusqu'au sommet au pas de charge et il lui laissait à peine le temps de souffler avant de redescendre ! C'était pire que l'armée !

Etait-ce pour lui faire payer la dispute de la veille qu'il la soumettait à un tel régime ? En tout cas, il se moquait éperdument de ce qu'elle pouvait avoir envie de faire. Il ne considérait que son propre intérêt. Soudain, le souvenir de la conversation qu'ils avaient eue à leur arrivée sur l'île s'imposa à son esprit.

— Si tu savais que je souffrais du mal des transports, demanda-t-elle soudain, pourquoi as-tu toujours feint de l'ignorer ?

Il haussa les épaules avec une désinvolture qui redoubla l'exaspération de Kerry.

— Je pensais que tu n'avais pas envie d'en parler. Que tu préférais ne pas en faire toute une histoire.

Elle le considéra un instant avec perplexité. Dans un sens, il n'avait pas tort. Elle avait toujours préféré ne pas s'appesantir sur ce problème. Et n'importe quelle occupation, à part la lecture, suffisait généralement à la distraire de ses malaises. Mais cela n'excusait en rien l'attitude de Théo, qui ne lui avait jamais manifesté la moindre sollicitude.

— Comment savais-tu que je n'allais pas bien ? insista-t-elle.

— C'était évident. Tu devenais très pâle, tu te mettais à trembler et tu ne disais plus un mot. Mais tu semblais toujours te remettre très vite une fois arrivée.

— Si tu savais que j'étais malade, pourquoi m'as-tu obligée à voyager aussi souvent ?

— Je pensais que tu avais décidé de ne pas laisser ce problème perturber ta vie. Tu n'as jamais aimé reconnaître que tu étais fatiguée. Comme aujourd'hui. Tu n'as rien dit, alors que de toute évidence cette ascension était trop pénible pour toi.

— Pas du tout ! protesta-t-elle, exaspérée par son ton condescendant. Allons-y.

Elle se leva d'un bond et chancela. Aussitôt, il la rejoignit et passa un bras autour de sa taille.

— Tu ne tiens pas debout.

Sa voix devint caressante.

— Si cette montée n'était pas trop pénible pour toi, ça doit être moi qui te fais cet effet, non ?

Il l'attira contre lui et écarta une mèche de cheveux de son visage.

— Après tout, il m'est souvent arrivé de te faire vaciller sur tes jambes, non ?

— Laisse-moi tranquille ! s'écria-t-elle en s'efforçant d'ignorer le feu qui se répandait en elle. Je ne veux plus que tu me touches. Plus jamais !

— Vraiment ? Je doute que cette affirmation soit entièrement honnête.

S'écartant d'elle, il ajouta froidement :

— Mais il semble que l'honnêteté n'ait jamais été le pivot de notre relation.

Elle suffoqua d'indignation.

— J'ai toujours été honnête avec toi !

— Même le jour où tu m'as trahi ?

— Ce n'était pas...

Elle s'interrompit. En réalité, elle était encore plus coupable qu'il ne l'imaginait. Certes, autrefois elle avait toujours été honnête aujourd'hui. Mais aujourd'hui ?

Aujourd'hui, elle lui cachait l'existence de son fils.

Submergée par une profonde tristesse mêlée de culpabilité, Kerry sentit sa gorge se nouer. Lucas se trouvait à des milliers de kilomètres et il lui manquait terriblement. Mais surtout, elle avait le sentiment insupportable de le trahir, lui aussi.

A chaque instant passé en compagnie du père de son fils, son secret lui pesait un peu plus.

6.

Théo avait déjà commencé la descente, et Kerry le suivait en s'efforçant de ne pas se laisser distancer.

Quel mufle ! songea-t-elle avec irritation. Nul doute qu'il faisait exprès d'aller si vite. Elle se sentait de plus en plus faible et elle avait l'impression que ses jambes allaient la trahir d'un instant à l'autre.

Mais pas question de lui demander de ralentir.

Ecartant sa frange de son front humide de sueur, elle serra les dents en s'efforçant par ailleurs d'étouffer les remords qui la taraudaient.

Si elle avait décidé de cacher à Théo qu'elle avait eu un enfant de lui, c'est parce qu'elle avait eu peur qu'il ne la sépare de son bébé. Comment aurait-elle pu prendre le risque qu'il lui enlève Lucas ? Cependant, l'expérience lui avait appris que le mensonge pouvait avoir des conséquences désastreuses. Et elle se sentait terriblement coupable de priver son fils de son père.

Malgré tout, elle ne pouvait pas se résoudre à avouer la vérité à Théo.

Perdue dans ses pensées, elle buta sur une racine et bascula en avant avec un cri aigu. Elle tomba de tout son long sur le ventre dans un nuage de poussière.

— Kerry ? Ça va ?

La voix anxieuse de Théo lui sembla soudain très familière.

Quelques minutes plus tôt, elle était convaincue qu'il ne s'était jamais inquiété pour elle, mais elle se trompait. La note de tendresse dans sa voix était douloureusement familière, songea-t-elle, les yeux noyés de larmes. Et il était impossible qu'il joue la comédie.

— Tu es blessée ? demanda-t-il en posant une main prudente sur son épaule.

— Non, ça va.

Elle voulut se redresser, mais des cailloux s'enfoncèrent dans la paume de ses mains, lui arrachant un petit cri.

Théo l'aida à s'asseoir et scruta son visage. Il y avait une telle intensité dans son regard qu'elle sentit son cœur se serrer. Heureusement qu'elle portait des lunettes de soleil… Elle n'avait aucune envie qu'il voie ses larmes.

— J'ai les jambes flageolantes, reconnut-elle, les joues en feu.

Dire qu'elle s'était étalée de tout son long devant lui… Quelle humiliation !

— Pourquoi n'as-tu pas insisté pour te reposer au lieu de prétendre que l'ascension n'avait pas été trop pénible pour toi ? Dans un endroit aussi isolé, c'est une attitude complètement irresponsable !

Elle suffoqua d'indignation. C'était un comble ! Il l'accusait d'imprudence, alors que c'était lui qui marchait au pas de course !

— Tu crains d'être obligé de payer un hélicoptère si je me foule la cheville ? lança-t-elle d'un ton hargneux.

— Si tu es assez stupide pour te fouler la cheville, je te porterai moi-même. Sur mon épaule.

Elle le foudroya du regard. De toute évidence, cette éventualité ne le perturbait pas le moins du monde. Comment pouvait-il être aussi insensible ?

Et si elle n'était pas en assez bonne condition physique pour suivre le rythme infernal qu'il lui imposait ?

Ces derniers temps, elle n'avait pas eu le temps de faire de l'exercice. Entre Lucas et son travail à l'agence de voyages, elle n'avait pas une minute à elle. Elle n'était plus une jeune femme oisive, toujours disponible et prête à suivre son amant partout !

— Rassure-toi, ce ne sera pas nécessaire, déclara-t-elle sèchement. Allons-y. Je croyais que tu étais pressé de rentrer.

Théo l'aida à se lever en l'observant attentivement. Elle n'avait rien de cassé, visiblement. Mais elle n'était toujours pas très solide sur ses jambes...

— Nous allons ralentir le pas, déclara-t-il.

Elle se contenta de lui jeter un regard noir.

Le reste de la journée parut interminable à Kerry. Ils étaient arrivés chez Drakon à l'heure pour le déjeuner, mais ce dernier se sentait toujours trop faible pour quitter sa chambre.

Après le repas, pendant que Théo travaillait sur son ordinateur portable, elle s'installa sur la terrasse avec un livre, à l'ombre des oliviers. C'était un endroit très agréable qu'elle appréciait beaucoup, mais elle était incapable de se concentrer sur sa lecture.

Lucas ne quittait pas ses pensées et une question la hantait. N'était-elle pas en train de commettre une erreur monstrueuse ?

C'était une chose de cacher sa grossesse puis son enfant à Théo alors qu'ils ne se voyaient plus du tout et n'habitaient pas le même pays. Mais à présent qu'elle était de nouveau en Grèce en sa compagnie, la situation lui apparaissait sous un jour tout différent.

Ce matin, lorsqu'il lui avait reproché de ne pas être honnête, elle avait été déstabilisée. Même s'il avait lancé cette accusation pour de mauvaises raisons, comment ne pas reconnaître qu'il n'avait pas tort ?

Elle était malhonnête avec tout le monde.

Avec Théo, bien sûr.

Mais surtout avec Lucas.

Elle était pourtant bien placée pour savoir qu'il était dévastateur de découvrir trop tard certaines vérités. Le mensonge provoquait des ravages.

Comment risquer de gâcher la vie de son fils en lui mentant ?

C'était impossible.

Lorsqu'elle regagna la chambre, Kerry était déterminée à révéler la vérité à Théo à la première occasion. Elle ne l'empêcherait pas de participer à la vie de son fils. Au contraire.

Mais il ne lui prendrait jamais Lucas. Elle ne se laisserait pas faire.

Elle ignorait pourquoi il avait considéré Hallie comme incapable d'élever correctement Nicco, mais pour sa part, elle ne lui donnerait jamais la moindre raison de douter de son dévouement ni de sa capacité à remplir son rôle de mère. S'occuper de son fils était son devoir, mais c'était aussi son droit. Personne ne pouvait l'en priver.

Toutefois, elle était prête à faire des concessions. Elle déménagerait à Athènes, où elle chercherait un nouvel emploi. Ainsi, Théo et Lucas pourraient se voir régulièrement.

— Finalement, Drakon est trop souffrant pour dîner avec nous.

La voix de Théo, qu'elle n'avait pas entendu entrer, l'arracha à ses pensées.

— J'espère qu'il va bientôt se rétablir, commenta-t-elle avec inquiétude.

— Le médecin doit venir demain. Ce soir, nous dînerons donc en tête à tête. Si tu prenais ta douche la première ? J'ai encore quelques coups de téléphone à donner.

— D'accord.

Kerry prit des vêtements propres et se rendit dans la salle de bains. Comme la situation était familière, tout à coup... Combien de fois avait-elle pris sa douche pendant que Théo parlait affaires au téléphone ?

Elle avait presque fini de se préparer lorsqu'il frappa à la porte.

— Kerry ?

Elle ouvrit aussitôt. Quelque chose dans la voix de Théo suggérait une catastrophe...

— Que se passe-t-il ?

— Ta sœur, Bridget, a appelé sur ton portable. J'ai fini par répondre parce qu'elle rappelait sans arrêt.

Kerry crut que son cœur cessait de battre. Pourvu qu'il ne soit rien arrivé à son fils !

— Elle a dit que Lucas était tombé, poursuivit Théo. Dans les escaliers, je crois. Ta sœur semblait affolée. Je pense qu'il vaudrait mieux que tu ailles la voir.

— Oh, mon Dieu !

Submergée par la panique, Kerry s'affaissa contre la porte. Soudain, elle était incapable de la moindre pensée cohérente. Une seule image s'imposait à son esprit. Celle de son petit garçon en train de tomber dans l'escalier.

Elle n'aurait jamais dû le laisser ! C'était sa faute. Lucas avait eu un accident parce qu'elle était loin de lui... Elle ne se le pardonnerait jamais. Comment avait-elle pu le quitter, même pour quelques jours ?

Interloqué par la violence de sa réaction, Théo la regarda un instant sans rien dire. Elle était devenue livide et elle tremblait de tous ses membres… Il étouffa un juron. Quel idiot ! Il s'agissait de son neveu : jamais il n'aurait dû lui annoncer la nouvelle aussi brutalement.

— En fait, je ne pense pas que ce soit très grave, déclara-t-il d'un ton apaisant en la secouant doucement pour la sortir de son état de choc. Ils l'ont emmené à l'hôpital, mais les médecins pensent que ce n'est rien.

— Il n'a que six mois !

Elle le regarda d'un air hagard, les yeux noyés de larmes. Théo eut un pincement au cœur. Avait-elle bien compris ce qu'il venait de lui dire ? Il fallait absolument trouver un moyen de la rassurer.

— Un hélicoptère est en route, dit-il. Et mon jet privé nous attend à Athènes pour nous emmener à Londres.

— Tu m'accompagnes là-bas ?

— Oui.

Il la guida vers un fauteuil et la fit asseoir. Il était inutile d'essayer de lui faire manger ou boire quoi que ce soit, comprit-il. Avec un peu de chance, elle parviendrait à avaler quelque chose une fois à bord de l'avion. Voyager l'estomac vide était très mauvais pour elle. Or, il fallait qu'elle soit en forme pour soutenir sa sœur à leur arrivée à Londres.

La laissant dans le fauteuil, il rassembla rapidement leurs affaires et fit les valises. Il n'y avait pas de temps à perdre. L'hélicoptère serait là d'un instant à l'autre.

*
**

A bord du jet privé, Kerry regardait par le hublot. Il faisait nuit noire et il n'y avait rien à voir. En réalité, elle était perdue dans ses pensées. En ce moment, Lucas aurait dû être dans son berceau, en train de faire de beaux rêves…

Au lieu de ça, il était aux urgences, à l'hôpital ! D'après ce qu'elle avait compris. En réalité, elle n'en était pas certaine. Oh, mon Dieu ! Elle ne savait même pas exactement où il se trouvait !

Elle avait rappelé Londres avant leur départ, mais Steve, le compagnon de Bridget, n'avait pas de nouvelles, l'utilisation des portables étant interdite à l'intérieur de l'hôpital.

Il était resté chez eux pour garder leurs enfants, avait-il expliqué. Mais dès que sa mère serait arrivée pour prendre le relais, il rejoindrait Bridget à l'hôpital et la rappellerait pour lui donner des nouvelles.

— Nous allons bientôt arriver, déclara Théo en s'asseyant à côté d'elle. Une voiture nous attend à l'aéroport.

— Merci. Rentrer en Angleterre en avion aurait pris beaucoup plus de temps. Cela aurait été un véritable cauchemar.

Théo jeta un coup d'œil sur la moitié de sandwich posée devant elle.

— Comment te sens-tu ?

— Ça va, mentit-elle en réprimant une nausée.

Etait-ce le mal des transports ou bien l'angoisse ? Elle ne pourrait pas le dire. Les deux sans doute.

— Je vais te chercher un autre verre d'eau, dit-il en se levant.

Elle le suivit des yeux, soudain assaillie par les souvenirs. Il avait eu la même attention pour elle des centaines de fois auparavant, au cours de leurs voyages.

En fait, il avait toujours été très prévenant. Mais elle avait été tellement choquée par la brutalité avec laquelle il avait rompu, qu'elle avait inconsciemment effacé de sa mémoire presque tous les bons souvenirs.

Comment ne s'en était-elle pas rendu compte plus tôt ? Il fallait reconnaître que depuis le coup de téléphone de Bridget, il lui apportait un soutien sans faille.

— Lucas va s'en sortir, déclara-t-il d'un ton apaisant en se rasseyant à côté d'elle. Si les nouvelles étaient mauvaises, je suis certain que Steve serait déjà au courant.

— Merci pour ton aide.

— La famille passe avant tout, répliqua-t-il avec une sincérité manifeste. Tu sais à quel point je tiens à mon neveu. C'est normal que tu ressentes la même chose pour le tien.

Kerry se mordit la lèvre, submergée par le remords. Théo pensait que Lucas était le fils de Bridget... Il devenait impossible de lui cacher plus longtemps la vérité.

L'estomac noué, elle prit une profonde inspiration.

— Lucas n'est pas mon neveu.

Par miracle sa voix ne tremblait pas, constata-t-elle avec satisfaction. En revanche, son cœur battait si fort qu'il en devenait assourdissant...

— C'est mon fils.

— Pardon ?

Incrédule, Théo la regarda avec effarement.

— Lucas est mon fils, répéta-t-elle.

Théo scruta son visage avec attention. La jeune femme était pâle et avait les traits tirés, mais elle soutenait son regard sans ciller. De toute évidence, elle était sérieuse.

Par conséquent...

Elle lui avait dit que Lucas avait six mois...

Soudain, il eut l'impression de recevoir un coup de poing dans l'estomac. Son univers, sur lequel il se targuait d'exercer un contrôle sans faille, vacilla.

Il avait un fils.

Comment était-ce possible ? Comment Kerry avait-elle réussi à lui cacher un fait aussi essentiel ? Comment avait-elle osé lui cacher qu'il avait un fils ? Pourquoi ne lui avait-elle rien dit ?

Mais peu importait. Ce n'était pas l'essentiel.

— Tu le regretteras, déclara-t-il d'un ton dangereusement posé.

— D'avoir eu un enfant de toi ? demanda-t-elle d'une voix mal assurée.

— De me l'avoir caché.

Crispant les mâchoires, il s'efforça d'endiguer le flot de rage meurtrière qui montait en lui.

Il avait un fils. Il était père depuis six mois.

Et Kerry venait seulement de le lui annoncer.

S'il n'avait pas eu besoin d'elle pour l'achat de l'île, il n'aurait jamais cherché à la revoir… Et il n'aurait jamais appris la vérité.

Alors qu'ils étaient ensemble depuis plus de vingt-quatre heures, elle avait continué à se taire ! Il avait fallu cet accident pour qu'elle passe aux aveux. Et encore, si elle s'était enfin décidée, c'était sans doute pour une seule raison : une fois à l'hôpital, il lui serait impossible de continuer à mentir.

— Tu ne me priveras pas de mon fils plus longtemps, déclara-t-il d'une voix vibrante de colère en dardant sur elle un regard étincelant.

Puis il se leva et s'éloigna.

Kerry le suivit des yeux, en proie à une angoisse insurmontable. Elle tremblait tellement qu'elle fut obligée de s'agripper aux accoudoirs de son siège. Qu'allait-il faire ?

*
* *

Théo n'adressa plus la parole à Kerry, sauf après l'atterrissage, pour lui demander l'adresse de l'hôpital où se trouvait Lucas.

Le trajet en limousine s'effectua dans un silence tendu, mais Kerry était trop angoissée pour s'en soucier. Seul Lucas occupait ses pensées.

Dès qu'ils arrivèrent à l'hôpital, elle aperçut Steve et Bridget dans le hall. Un immense soulagement la submergea : Lucas était dans les bras de Bridget ! Il n'avait rien et les médecins n'avaient même pas jugé utile de le garder en observation, apprit-elle quelques secondes plus tard.

— Oh, mon chéri !

Elle le serra contre elle en le couvrant de baisers.

— Mon petit ange ! Maman est là…

Incapable de contenir son émotion, elle éclata en sanglots. Bridget lui pressa l'épaule d'un geste apaisant.

— Les médecins sont formels. Il va très bien. Je suis désolée, j'ai réagi de manière excessive. Mais quand il est tombé, je me suis affolée… J'ai eu si peur ! Je me sentais horriblement coupable.

Kerry couvait son bébé d'un regard éperdu. Ses grands yeux bleus étaient fixés sur elle, aussi pénétrants que jamais. Tout à coup, il eut un sourire éclatant et deux petites fossettes creusèrent ses joues.

Puis il se mit à rire, tandis qu'elle lui souriait à travers ses larmes. Le cœur gonflé d'une joie indicible, elle le serra contre elle.

Plus jamais elle ne le quitterait. Plus jamais !

Un peu à l'écart, Théo observait attentivement la scène. Dieu merci, tout allait bien. Son fils… Lucas n'avait rien.

Quand Kerry se tourna légèrement, il aperçut des boucles noires. Son fils avait les cheveux bruns et bouclés… Depuis qu'il savait qu'il était père, il ne s'était pas demandé un seul instant à quoi ressemblait son fils. Tous les bébés avaient la même tête, non ?

Assailli par un besoin irrésistible de regarder son fils de près, il se rapprocha et entendit un bruit étrange. Que se passait-il ?

Son fils riait, comprit-il quelques secondes plus tard.

C'était un son extraordinaire… Celui du bonheur de son fils retrouvant les bras de sa mère.

Assailli par une émotion inconnue, Théo sentit sa gorge se nouer. *Son* fils.

Personne ne le priverait plus jamais de lui pendant une seule seconde.

Pendant que Bridget lui racontait en détail ce qui s'était passé, Kerry ne cessait de se répéter : « Lucas va bien ! A part un bleu, il n'a rien ! »

Dire qu'elle s'était imaginé qu'il avait fait une chute d'au moins un étage ! En réalité, il avait juste roulé sur les trois marches qui séparaient la cuisine de Bridget de son cellier. Elle ne l'avait quitté des yeux que quelques secondes, mais il essayait déjà de marcher à quatre pattes et il avait essayé de la rejoindre.

Théo n'avait pratiquement pas ouvert la bouche, constatat-elle soudain. Il avait été très courtois avec Bridget et Steve mais il était resté à l'écart. Pourtant, nul doute qu'il n'en pensait pas moins… Qu'allait-il se passer, à présent ? Mais peu importait. L'essentiel, c'était que Lucas ne soit pas blessé.

— Oh, et nous ne vous avons même pas remercié d'avoir amené Kerry aussi rapidement ! s'exclama soudain Bridget en se tournant vers Théo.

— Je vous en prie, c'est tout naturel, répliqua-t-il d'un

ton neutre. Merci à vous de nous avoir appelés. Je vous suis très reconnaissant de tout ce que vous avez fait pour Lucas... mais à présent, vous devriez rentrer chez vous auprès de vos propres enfants.

— Je...

Bridget s'interrompit et regarda Kerry d'un air interrogateur.

— Il sait, déclara cette dernière.

— Oui, je sais que Lucas est mon fils, acquiesça Théo. Et à présent que je suis au courant de son existence, j'ai bien l'intention d'assumer mes responsabilités de père.

— Que voulez-vous dire ?

Manifestement inquiète, Bridget regarda tour à tour Kerry, Théo et Lucas, qui était en train de s'assoupir dans les bras de sa mère.

— Je veux dire qu'à partir de maintenant, je vais m'occuper de lui.

— De quel droit ? s'exclama Bridget d'un ton indigné. Vous avez mis Kerry à la porte !

— A l'époque, j'ignorais qu'elle attendait un enfant de moi. Aujourd'hui, la situation est très différente.

— Vous ne pouvez pas vous imposer du jour au lendemain et...

— Ne t'inquiète pas, Bridget, intervint Kerry. Ça va aller.

Bridget, qui avait appris en même temps qu'elle leur véritable lien de parenté, se considérait toujours comme sa sœur aînée et était toujours prête à prendre sa défense. Elle lui en était très reconnaissante, mais c'était à elle seule de régler le problème.

— Merci beaucoup pour tout ce que tu as fait, ajouta-t-elle. Mais Théo a raison, vous devriez rentrer chez vous.

Vos enfants vous attendent. Ne t'inquiète pas pour moi. Je t'appelle demain.

— Mais…

— Allons, ma chérie, intervint Steve, visiblement épuisé. Ecoute ta sœur.

Kerry adressa à Bridget un sourire qu'elle espérait rassurant, puis la regarda s'éloigner en compagnie de Steve, en proie à un tourbillon d'émotions diverses.

Certes, la situation était pour le moins épineuse, mais Lucas était de nouveau dans ses bras.

Sain et sauf. C'était tout ce qui comptait.

Le cœur débordant d'amour, elle frotta sa joue contre ses boucles soyeuses. Du moment qu'il était avec elle, tout se passerait bien.

— Nous allons finir la nuit à l'hôtel, annonça Théo. Et demain, nous discuterons de l'avenir.

Dans la limousine, le trajet s'effectua de nouveau dans le silence, mais la présence de Lucas dans son siège-auto suffisait à rasséréner Kerry.

Que se passait-il exactement dans l'esprit de Théo ? se demandait-elle. Avant leur arrivée à l'hôpital, il était furieux, ce qu'elle comprenait. Sa colère était palpable et à plusieurs reprises, il avait semblé sur le point d'exploser.

A présent, il était impossible de deviner ce qu'il pouvait ressentir ou penser. Son visage était impénétrable.

Lorsque la limousine s'arrêta devant l'un des plus grands hôtels de Londres, elle détacha Lucas de son siège et suivit Théo dans le hall de l'hôtel. On les conduisit immédiatement jusqu'à une immense suite au décor luxueux.

A la grande surprise de Kerry, Théo décréta qu'ils partageraient tous les trois la même chambre.

— Nous formons une famille, à présent, déclara-t-il en supervisant l'installation d'un berceau dans la pièce. Notre fils va bien, Dieu merci, mais puisqu'il vient de faire une chute, il dormira dans notre chambre pendant quelques nuits. Ensuite, il aura la sienne.

Kerry tressaillit. Avait-elle bien entendu ? Elle était tellement épuisée qu'elle avait dû mal comprendre…

— Dans notre chambre ?

Assaillie par une bouffée d'angoisse, elle leva vers lui un regard inquiet. Qu'avait-il en tête, exactement ?

— Que ce soit bien clair, déclara-t-il d'un ton posé comme s'il lisait dans ses pensées. Nous allons nous marier le plus tôt possible.

7.

— Tu veux que je t'épouse?

Kerry était abasourdie. Cette fois elle était certaine d'avoir bien entendu… mais elle n'arrivait pas y croire! Après tout ce qui s'était passé, comment pouvait-il avoir envie de l'épouser? Et surtout, comment pouvait-il imaginer qu'elle allait accepter?

— Je n'en ai aucune envie, mais étant donné les circonstances, je n'ai pas le choix.

— Je ne t'ai rien demandé! protesta-t-elle avec indignation. Et sache que moi non plus, je n'ai aucune envie de t'épouser!

— Etant donné que tu m'as caché mon fils jusqu'à aujourd'hui, je m'en serais douté, figure-toi.

— Alors, pourquoi parles-tu de mariage?

— Parce que c'est la meilleure solution pour mon fils, répliqua Théo en traversant la pièce pour se pencher sur le berceau.

— *Notre* fils, rectifia Kerry, l'estomac noué.

Le regard possessif dont Théo couvait Lucas était très inquiétant…

— Tu crois vraiment qu'être élevé par des parents qui ne s'aiment pas soit une bonne solution pour Lucas?

— Tu préfères qu'il grandisse dans un quartier défavorisé, gardé toute la journée par des étrangers pendant que sa mère travaille ?

— Nous ne menons pas une vie aussi sordide que tu sembles le croire ! s'exclama-t-elle, outrée. Pour l'instant, je ne suis pas encore à flot, mais bientôt je pourrai déménager et il aura sa propre chambre.

— « Bientôt, il aura sa propre chambre », répéta Théo d'un ton dédaigneux. Ne sois pas ridicule, voyons ! Il n'est pas question que mon fils continue à vivre dans ces conditions. Mais ce n'est pas le plus important.

— Heureuse de te l'entendre dire. Le plus important, c'est que je l'aime. C'est tout ce dont il a besoin.

— Non, il a également besoin de son père.

Kerry se mordit la lèvre. Théo avait raison, impossible de le nier. D'ailleurs, elle était rongée par la culpabilité. Seule la crainte qu'il veuille lui prendre Lucas l'avait poussée à lui cacher la vérité. Dieu merci, ce n'était visiblement pas dans ses intentions.

— Je vais déménager à Athènes, déclara-t-elle. Trouver du travail. Tu pourras voir Lucas autant que tu voudras.

— Je ne t'ai pas demandé ton avis, il me semble, répliqua-t-il d'un ton glacial. Ceci n'est pas une négociation. Nous allons nous marier, que ça te plaise ou non.

— Je ne peux pas t'épouser ! Tu ne m'aimes pas ! Ce mariage serait une imposture. Comment cette solution pourrait-elle être la meilleure pour Lucas ?

« Ou pour moi » ajouta une petite voix intérieure.

— Je vais te l'expliquer très simplement.

Théo s'avança vers Kerry.

— Je reconnais que je ne sais rien de ta vie ni de la façon dont tu as été élevée. Mais tu es visiblement très proche de Bridget. Tu dois donc être capable de comprendre l'importance de la famille.

— Ne me parle pas sur ce ton condescendant, s'il te plaît ! Et de toute façon, mon passé n'a rien à voir avec tout ça, ajouta-t-elle.

— Si tu ne comprends pas qu'il est important pour un enfant de grandir entouré de ses deux parents, ton passé y est sans doute pour quelque chose. A partir d'aujourd'hui, mon fils ne vivra plus jamais sous un autre toit que le mien. Il grandira dans la certitude que son père l'aime. Jamais de toute sa vie il ne pourra douter de mon amour, même une seule seconde.

Bouleversée, Kerry sentit sa gorge se nouer. La véhémence qui faisait vibrer la voix de Théo ne laissait aucun doute sur sa sincérité. Il ne connaissait son fils que depuis une heure, mais il éprouvait déjà pour lui un amour inconditionnel.

Comment pourrait-elle priver Lucas d'un amour aussi précieux ?

Pour sa part, elle ne savait même pas qui était son père. Après avoir grandi dans une maison où elle se sentait indésirable, son vœu le plus cher était que son fils ne connaisse jamais le même sort.

— Lucas a besoin de son père et de sa mère, insista Théo. Je ne te pardonnerai jamais d'avoir voulu m'exclure de sa vie, mais je suis conscient qu'il a besoin de toi. Par conséquent, nous devons nous marier.

Kerry déglutit péniblement.

— D'accord.

Le lendemain, ils partirent pour la résidence familiale des Diakos, située sur une île privée à proximité d'Athènes. Pour que son fils et lui apprennent à se connaître, l'isolement et le calme seraient idéaux, avait fait valoir Théo.

Il avait raison, reconnaissait Kerry. A Athènes, ou dans n'importe lequel des nombreux hôtels dont il était propriétaire, il avait rarement un instant de tranquillité. Cependant, cela signifiait qu'il passerait tout son temps avec eux… et qu'elle vivrait sur les nerfs en permanence.

Le premier jour, le seul répit auquel elle eut droit fut le moment que Théo passa au téléphone pour prendre des nouvelles de Drakon. Toujours déterminé à acheter l'île de ce dernier, il n'avait pas l'intention de manquer la moindre occasion de discuter avec le vieil homme.

Le lendemain, malgré son intention de passer la journée avec Lucas, Théo fut obligé de se rendre à Athènes pour ses affaires. Soulagée, Kerry sentit son estomac se dénouer dès que l'hélicoptère décolla. Enfin seule ! La veille elle avait été particulièrement éprouvée par le voyage. Sans doute parce que la tension n'avait cessé de croître entre Théo et elle.

Nul doute que les représailles ne tarderaient pas…

Mais d'ici là, elle avait bien l'intention de savourer chaque instant de cette parenthèse de tranquillité.

Toute une journée seule avec Lucas. Le rêve !

L'immense piscine à débordement où Théo avait l'habitude de nager tous les matins était beaucoup trop grande et profonde pour Lucas. Heureusement, il y avait également un petit bassin, conçu pour les enfants, dont un côté était abrité du soleil par un auvent.

C'était l'endroit idéal pour barboter avec un bébé de six mois.

Kerry examina les maillots de bain que la gouvernante, Sara, avait sortis pour elle. Il n'y avait que des deux-pièces. Elle se maudit. Comment avait-elle pu oublier de prendre le maillot une pièce qu'elle mettait lorsqu'elle emmenait Lucas à la piscine municipale, à Londres ?

Depuis sa grossesse, elle n'avait pas encore retrouvé tout à fait la ligne. Jusqu'à présent, cela ne l'avait pas perturbée outre mesure. Entre son travail et Lucas, elle n'avait jamais vraiment eu le loisir d'y penser.

Mais aujourd'hui, même en l'absence de Théo, elle n'avait pas très envie d'exposer son corps. Cependant, pas question de priver Lucas de bain. Elle enfila un deux-pièces, noua une serviette sur ses hanches et emmena son fils dehors.

L'eau était délicieuse. Juste à la bonne température et d'une limpidité extraordinaire. Lucas passa un bon moment à donner de vigoureux coups dans l'eau avec les pieds et les mains en riant aux éclats. Sans doute serait-il un bon nageur... comme son père.

Elle l'installa ensuite en haut des trois marches qui descendaient dans le bassin, de l'eau jusqu'à la taille, et s'assit juste en dessous de lui pour qu'il puisse s'amuser sans danger avec les bateaux et les animaux en plastique qu'elle avait trouvés dans la maison.

Ces jouets appartenaient sûrement à Nicco. Que devenaient Corban et Hallie ? se demanda-t-elle avec un pincement au cœur. Elle regrettait tellement ce qui s'était passé lors de sa dernière soirée à Athènes... Et il fallait reconnaître qu'elle était un peu nerveuse à l'idée de les revoir. Mais pour l'instant, ils voyageaient à travers l'Europe. Elle n'aurait donc pas à les affronter avant un certain temps.

— Attrape le petit bateau, mon chéri.

Ravi, Lucas se mit à jouer en gazouillant.

Dire qu'elle avait accepté d'épouser Théo ! Cette pensée ne la quittait pas un seul instant et il fallait reconnaître qu'elle était pour le moins déstabilisante... Ne prenait-elle pas un énorme risque ? Et si ce mariage était un piège ? Si les grands discours de Théo n'étaient qu'une façade pour masquer ses véritables intentions ?

Peut-être avait-il prévu de lui prendre Lucas, une fois sa paternité officialisée ? Il clamait qu'un enfant avait besoin de ses deux parents, mais il avait tout de même poussé Corban à enlever Nicco à Hallie…

Pourtant, il semblait si sincère… Elle avait du mal à croire qu'il pourrait lui enlever Lucas.

Tout à coup, un bruit caractéristique attira son attention. Elle leva les yeux et vit l'hélicoptère qui repartait. Mon Dieu, elle était tellement absorbée dans ses pensées qu'elle ne l'avait même pas entendu arriver ! Théo était de retour…

— J'ai réussi à rentrer plus tôt que prévu.

Le son de sa voix profonde la fit tressaillir.

Elle se tourna vers lui. Debout sur le bord de la piscine, il semblait immense dans son costume sombre. Des lunettes noires sur le nez, il avait les cheveux ébouriffés et sa cravate était desserrée.

L'estomac de Kerry se noua de nouveau. Il semblait encore plus hostile qu'à l'accoutumée…

— Je vais me changer et je vous rejoins dans l'eau.

— Non ! s'écria-t-elle d'une voix étranglée.

Surtout pas ça ! Elle n'avait aucune envie de se retrouver à moitié nue avec lui dans la piscine !

— Nous allions justement sortir, ajouta-t-elle en s'efforçant de prendre un ton plus calme. Lucas est fatigué.

A peine ces mots eurent-ils quitté ses lèvres qu'elle se maudit. Allons bon, si elle sortait de l'eau devant Théo, il la verrait en maillot de bain…

Non, elle ne pouvait pas se résoudre à s'exposer ainsi à son regard. Et malheureusement, elle avait laissé sa serviette sur le transat, à plusieurs mètres du bord !

— Peux-tu me passer la serviette ? demanda-t-elle d'un ton qui se voulait désinvolte.

En tenant Lucas contre son épaule, elle devrait parvenir

à envelopper la serviette autour de sa taille. Elle leva les yeux vers Théo. Il avait un air bizarre. Que lui arrivait-il ? En tout cas, il ne semblait pas l'avoir entendue.

— La serviette ? répéta-t-elle d'un ton hésitant.

Sans répondre, Théo enleva ses lunettes de soleil pour mieux contempler Kerry. L'eau était si claire qu'on voyait parfaitement sous la surface, à peine déformées, ses hanches sensuelles, ses cuisses fuselées et ses longues jambes très fines.

Son regard appréciateur remonta vers le haut du maillot. Bleu pâle, ce dernier s'harmonisait à merveille avec la peau crémeuse de Kerry. Depuis combien de temps n'avait-il pas eu l'occasion d'admirer ce corps splendide presque entièrement dénudé ? Un éclair de désir le transperça.

Sur l'île de Drakon, il avait eu l'impression que ses seins étaient plus pleins. Il ne s'était pas trompé. Quel spectacle délicieux… Il était très tentant de glisser les mains sous les bonnets de son maillot pour caresser les deux globes rebondis et tourmenter leurs pointes hérissées…

Combien de fois l'avait-il déjà fait ? Combien de fois s'était-elle alanguie dans ses bras dès que ses mains s'étaient refermées sur ses seins ? Jamais ils ne s'étaient baignés ensemble sans faire l'amour.

Mais aujourd'hui, Kerry n'était manifestement pas enchantée de le voir. Elle se tenait sur la défensive, comme elle le faisait en permanence depuis qu'ils avaient récupéré Lucas à l'hôpital. En fait, elle était même de plus en plus distante avec lui.

Théo crispa les mâchoires. La voir se raidir à son approche n'avait vraiment rien d'agréable. C'était même très vexant ! Autrefois — et même encore tout récemment, sur l'île de Drakon — elle vibrait de désir dès qu'il promenait son regard sur elle, ce qui était très excitant.

Mais aujourd'hui, tout avait changé. Depuis leur retour de Londres, l'atmosphère était de plus en plus tendue entre eux.

Manifestement, elle n'avait aucune envie de l'épouser.

Dire qu'elle avait osé lui cacher l'existence de son fils ! Théo fut assailli par une bouffée de colère. Il ne le lui pardonnerait jamais !

Un rire joyeux et de grands bruits d'éclaboussures l'arrachèrent à ses pensées, et son attention se reporta sur son fils.

Les boucles brunes de Lucas étaient parsemées de gouttes d'eau et ses yeux bleus pétillaient de joie. Il battait énergiquement des pieds et des mains dans l'eau en riant aux éclats. Fatigué ? Ce n'était pas du tout l'impression qu'il donnait. Mais après tout, il n'avait aucune expérience des bébés. Si Kerry affirmait que Lucas était fatigué, elle avait sans doute raison.

— Je vais le prendre, le temps que tu sortes de la piscine, dit-il en mettant ses lunettes de soleil dans sa poche.

Refermant les mains sur le petit corps tout chaud, il le souleva hors de l'eau d'un mouvement ample. Lucas poussa un cri aigu. Furieux contre lui-même, Théo se maudit. Bon sang, il avait été trop brusque et avait effrayé son fils !

Il le tint en l'air face à lui pour le regarder attentivement. Lucas poussa un nouveau cri et un vif soulagement submergea Théo. Son fils ne pleurait pas ! Au contraire, il criait de joie ! Apparemment, être dans les mains de son père lui plaisait beaucoup…

Lucas lui sourit en gazouillant, et Théo fut envahi par une émotion indicible. Ce petit être extraordinaire était son fils… la chair de sa chair !

Mais il tenait Lucas à bout de bras dans une position qui n'était sans doute pas très confortable pour lui. Peut-être fallait-il l'envelopper dans une serviette et le tenir contre son épaule ? Allons bon ! Jamais il ne s'était senti aussi maladroit… En fait, il ne savait pas du tout comment il devait tenir son fils.

Il se tourna vers Kerry, toujours assise sur les marches dans l'eau, les genoux repliés contre sa poitrine. Qu'attendait-elle pour se lever ? Pourquoi ne l'aidait-elle pas ?

Essayait-elle de prouver quelque chose en le laissant se débrouiller seul ?

— Passe-moi la serviette, dit-il d'un ton crispé.

Kerry n'entendit pas. Voir Théo tenir leur fils pour la première fois était très troublant. Le regard éperdu dont il couvait Lucas déclenchait en elle des sentiments contra-dictoires.

Bien sûr, l'idée que Lucas aurait la chance de grandir auprès d'un père en adoration devant lui était merveilleuse… mais en même temps, elle ne pouvait s'empêcher d'être assaillie de regrets.

Théo n'éprouverait jamais des sentiments aussi forts pour elle. Et cette pensée était très déprimante…

Mais il semblait mal à l'aise, constata-t-elle soudain. Apparemment, il ne savait pas trop comment s'y prendre avec son fils. Il fallait reconnaître que tenir un bébé mouillé qui n'arrêtait pas de gigoter n'était pas très facile, surtout quand on n'avait pas l'habitude !

Il fallait l'aider. Elle se leva en lui tournant le dos et prit la serviette sur le transat. Elle le rejoignit en tenant celle-ci devant elle.

— Je peux le prendre, proposa-t-elle.

— Ce n'est pas la peine. Aide-moi juste à l'envelopper dans la serviette.

Elle hésita. Elle avait besoin de celle-ci pour se cacher…

— Rassure-toi, je ne vais pas le faire tomber, déclara ce dernier d'un ton sarcastique.

— Ce n'est pas ça…

Au comble de la confusion, elle enveloppa Lucas dans la serviette et aida Théo à le caler contre son épaule. Puis elle croisa les mains sur son ventre avec embarras. Il n'y avait plus qu'à souhaiter que Théo continuerait à n'avoir d'yeux que pour son fils…

A son grand dam, cet espoir fut déçu. La regardant par-dessus la tête de Lucas, il promena sur elle un regard appréciateur, comme il l'avait déjà fait tant de fois dans le passé. Mais tout à coup, son regard s'immobilisa sur son ventre et un profond mépris se peignit sur son visage.

Sans un mot, il pivota sur lui-même et s'éloigna avec Lucas.

8.

Kerry resta clouée sur place, les joues en feu. Jamais elle n'avait été aussi mortifiée !

Au comble du désarroi, elle s'efforça de refouler ses larmes. Dire qu'autrefois, elle lisait toujours de l'admiration et du désir dans le regard de Théo... Il aimait son corps et il le lui prouvait chaque fois qu'il posait les yeux ou les mains dessus.

L'idée qu'à présent il la trouvait repoussante était insupportable.

La mort dans l'âme, elle se dirigea vers la maison.

Mais tout à coup, une bouffée de colère l'assaillit. Comment osait-il lui manifester un tel mépris ? Elle ne lui avait pas demandé de l'amener sur cette île. Elle ne lui avait jamais rien demandé...

Et surtout pas de partager sa vie !

S'il n'avait tenu qu'à elle, son chemin n'aurait plus jamais croisé celui de Théo Diakos. Et il n'aurait jamais eu l'occasion de la regarder avec répulsion.

Elle traversa le hall à grands pas, monta l'escalier quatre à quatre et se dirigea tout droit vers la chambre. Sur le seuil, elle croisa la gouvernante qui emmenait Lucas dans la salle de bains. Elle brûlait d'envie de donner son bain à Lucas elle-même, mais d'un autre côté, il était urgent d'avoir une explication avec Théo.

Elle pénétra dans la pièce et referma la porte derrière elle. C'était la première fois depuis leur retour en Grèce qu'elle se trouvait en tête à tête avec lui. Prenant une profonde inspiration, elle lui fit face. Le regard étincelant, il l'observait avec une hostilité non déguisée.

Comme si son attitude n'était pas assez blessante, il baissa lentement les yeux et les fixa sur son ventre.

— Comment oses-tu me regarder comme ça ? s'exclama-t-elle en mettant les mains sur ses hanches. Comment oses-tu prendre cet air dégoûté parce que la grossesse a laissé sur mon corps des marques tout à fait naturelles ?

Il arqua les sourcils avant de s'exclamer :

— Comment peux-tu être aussi vaniteuse et égocentrique ?

Levant les bras dans un geste théâtral qui ne lui ressemblait pas, il enleva sa veste et la lança sur le lit.

— Tu crois que ton corps m'inspire du dégoût ? ajouta-t-il.

— Je le *sais*. Je l'ai vu dans tes yeux. Mais au fond, ça m'arrange. J'espère que tu ne me toucheras plus jamais !

— Vraiment ?

Refermant les mains sur les bras de Kerry, Théo l'attira contre lui.

Elle déglutit péniblement, alors qu'il resserrait son étreinte.

— Oui, je ne veux plus que tu m'approches !

— Vérifions ça.

La soulevant de terre, il la laissa tomber sur le lit.

— Je pense que tu aimerais beaucoup ne plus vouloir que je te touche. Mais en réalité, tu en meurs d'envie.

— Non ! Laisse-moi ! cria-t-elle d'une voix aiguë.

Mais déjà Théo s'allongeait sur elle. Kerry ferma les yeux, désespérée. Malgré sa colère et sa peur, elle était submergée par un désir intense. Pourquoi ? Pourquoi était-elle toujours irrésistiblement attirée par cet homme ? Elle avait pourtant toutes les raisons de le détester !

Mais malheureusement, le contact de ce corps puissant ranimait en elle une foule de souvenirs brûlants. Les sensations inouïes qu'il avait si souvent fait naître en elle autrefois l'assaillaient de nouveau...

Rouvrant les yeux, elle fut électrisée par le désir qui faisait étinceler les yeux noirs de Théo.

— Quand je t'ai vue assise dans l'eau, j'ai eu une envie irrésistible de te toucher, déclara-t-il d'une voix rauque. De glisser les mains sous ton maillot et de sentir les pointes de tes seins se hérisser au creux de mes paumes.

Une vive chaleur se répandit dans tout le corps de Kerry. Prudence ! lui souffla aussitôt une petite voix. C'était un piège. Théo avait sans doute décidé de s'amuser avec elle. Il cherchait à l'humilier.

Elle était certaine d'avoir lu le dégoût dans ses yeux. Elle avait entendu le mépris dans sa voix. Non, elle n'avait pas rêvé !

Le repoussant de toutes ses forces, elle tenta de se redresser. Mais il tourna cette tentative à son avantage et elle se retrouva assise au bord du lit entre ses cuisses, le dos contre son torse. Un bras refermé autour de sa taille, il la maintint fermement contre lui.

— N'essaie pas de me faire croire que tu n'as pas envie de sentir mes mains sur toi, murmura-t-il à son oreille.

La caresse de son souffle chaud l'électrisa et Kerry fut parcourue d'un long frisson. Il promena les doigts sur ses hanches et son ventre avec une lenteur délibérée, en remontant peu à peu vers ses seins.

Le corps en feu, elle luttait désespérément pour conserver les dernières bribes de raison qui lui restaient.

Mon Dieu, il avait raison... Elle mourait d'envie qu'il la couvre de caresses, qu'il s'unisse à elle et qu'il lui fasse l'amour avec la même passion qu'autrefois...

Déjà, le simple frôlement de ses doigts suffisait à affoler son cœur et à la faire vibrer tout entière... Mais s'il la caressait, ce n'était pas parce qu'il la trouvait désirable. C'était juste pour lui démontrer qu'elle était incapable de lui résister. Et cette pensée était insupportable...

— Comme tu as la peau douce, murmura-t-il en glissant les doigts sous son haut de maillot.

Il referma la main sur un sein et pressa la paume contre le bourgeon hérissé avant de le caresser avec une habileté diabolique. Alors, laissant échapper un gémissement, Kerry sentit toute velléité de résistance l'abandonner.

Lorsqu'il l'allongea sur le lit, elle en eut à peine conscience. Les yeux fermés, elle flottait déjà dans un océan de sensualité. Et quand les lèvres de Théo se refermèrent sur son sein, elle poussa un petit cri étranglé, assaillie par des sensations magiques. Il aspira doucement la pointe durcie tout en la léchant du bout de la langue.

— Oh, Théo...

Mais tout à coup, elle rouvrit les yeux et le repoussa avec force.

C'était comme si, en prononçant son prénom, elle venait de rompre le charme. Elle secoua la tête avec incrédulité. Comment avait-elle pu oublier, ne serait-ce qu'un instant, le dégoût qui avait crispé ses traits lorsqu'il avait regardé son ventre, au bord de la piscine ?

— Tu ne me désires pas ! s'écria-t-elle en bondissant sur ses pieds. Pourquoi joues-tu la comédie ? J'ai bien vu comment tu me regardais, tout à l'heure !

— Tu penses vraiment que j'attache de l'importance à ça ? rétorqua-t-il d'un ton incrédule en se levant à son tour. Comment ai-je fait pour ne jamais m'apercevoir que tu étais aussi superficielle ?

— Inutile de raconter des histoires ! J'ai très bien vu la répulsion dans tes yeux ! Alors ne me dis pas que tu ne me trouves pas hideuse !

— Tu devrais être fière de ton corps au lieu d'en avoir honte.

— Arrête de mentir ! Je te répète que j'ai vu ton air dégoûté !

— Eh bien tu t'es trompée. Le seul dégoût que je ressente vient de l'idée de ce que tu m'as volé en me cachant la naissance de mon fils !

Pivotant sur lui-même, Théo enfouit brièvement son visage dans ses mains comme s'il était en proie à une émotion violente, puis il se tourna de nouveau vers Kerry.

— Tu m'as volé le temps de ta grossesse. Et les six premiers mois de sa vie.

Sa voix était très calme, mais la colère faisait étinceler ses yeux.

Kerry le regarda avec stupéfaction. Jamais elle n'aurait imaginé qu'il regretterait à ce point de ne pas avoir été présent pendant sa grossesse. Pas un instant, elle ne s'était doutée que c'était aussi important pour lui…

— Comment as-tu osé me cacher que tu étais enceinte, bon sang ?

— J'ai essayé de te prévenir, mais tu n'as pas voulu m'écouter.

— Ne mens pas, s'il te plaît. Tu n'as jamais essayé de prendre contact avec moi.

— Non, mais…

Théo scruta le visage de Kerry, puis il jura en grec et l'agrippa par les épaules.

— Tu étais déjà au courant ! Tu le savais avant ton départ d'Athènes !

— J'ai essayé de te parler le dernier soir, mais tu n'as pas voulu m'écouter. Tu m'as juste ordonné de m'en aller !

— Tu aurais dû insister. Mon Dieu ! Quand je pense que quand tu es partie de chez moi, tu portais déjà mon fils !

Il jura de nouveau.

— Depuis combien de temps le savais-tu ?

— Je l'ai découvert ce soir-là, répondit-elle d'une voix tremblante.

Elle le regarda avec appréhension. C'était comme si une violente tempête était en train de se former. L'air vibrait d'électricité et la foudre menaçait de frapper d'un instant à l'autre.

— Je venais te l'annoncer quand j'ai surpris ta conversation avec Corban.

Devant l'éclair qui jaillit dans les yeux de Théo, elle se maudit. Quelle idiote ! Elle n'aurait jamais dû faire allusion à Corban. Rappeler à Théo les détails de cette soirée était une très mauvaise idée…

Mais non, il valait mieux lui parler franchement. Elle n'avait plus rien à cacher. Si ce mariage forcé avait la moindre chance de fonctionner, il ne fallait pas la gâcher. Désormais, elle ne lui mentirait plus jamais. Même pas par omission.

— J'ai renoncé à te parler parce que j'avais peur, avoua-t-elle. Peur de ta réaction. Je venais de t'entendre dire à ton frère qu'il fallait enlever Nicco à sa mère. J'ai eu peur que tu veuilles me prendre mon bébé.

Un long silence suivit cette déclaration. Une veine battait

frénétiquement sur la tempe de Théo, constata-t-elle, l'estomac noué. L'orage allait-il éclater ?

— Je n'essaierai jamais de te prendre Lucas, finit-il par déclarer d'un ton posé. En retour, j'attends de toi que tu sois une mère parfaite pour lui… et pour les autres enfants que nous aurons.

Elle resta bouche bée.

— Les autres enfants ? Tu ne crois pas qu'il est un peu tôt pour faire ce genre de projet ?

— Pourquoi ? Tu veux que Lucas reste fils unique ? Tu ne prends pas ce mariage au sérieux ?

— Si… bien sûr, mais…

Mon Dieu ! Elle ne s'attendait pas du tout à ça ! Tout se passait si vite… Elle ne savait plus du tout quoi penser…

— Je peux t'assurer que pour moi, ce mariage est très sérieux et que je tiens à avoir d'autres enfants. J'attends de toi que tu prennes ton rôle d'épouse à cœur. Dans l'intimité comme en société.

Théo promena un regard insistant sur le corps à demi nu de Kerry, puis il quitta la pièce.

Le cœur battant à tout rompre, elle déglutit péniblement. Ce qu'il attendait d'elle était très clair…

Une vive chaleur l'envahit. Oh, mon Dieu, oui… C'était insensé, mais elle ne demandait qu'à prendre son rôle d'épouse à cœur.

Elle ne demandait qu'à se donner à Théo.

Corps et âme.

Plus tard ce soir-là, après avoir couché Lucas, Kerry parcourut la maison avec nervosité. Théo travaillait dans son bureau, mais il l'avait prévenue qu'il dînerait avec elle.

Elle avait pris une douche et s'était préparée avec soin.

Après avoir longuement hésité, elle avait choisi une robe dos-nu bleu lavande, dont le tissu fin et soyeux, froncé sous la poitrine, tombait en plis souples jusqu'aux genoux. Elle avait complété sa tenue par des escarpins à talons aiguilles, un bracelet en argent très sobre et des créoles assorties.

L'esprit et le corps en ébullition, elle arpenta les pièces, les unes après les autres. Il s'était passé tant de choses au cours des derniers jours ! Sa vie avait connu de tels bouleversements qu'elle ne savait plus très bien où elle en était… Une seule chose était certaine. Pour Lucas, il fallait que son mariage avec Théo soit une réussite.

Alors qu'elle parcourait le couloir, son regard fut attiré par une série de tableaux accrochés au mur. Pourquoi lui semblaient-ils aussi familiers, tout à coup ? Bien sûr, elle les avait vus souvent autrefois, mais curieusement elle avait l'impression que ce n'était pas la seule raison…

Mais oui ! Ils lui rappelaient les aquarelles qu'elle avait admirées dans la maison de Drakon !

Intriguée, elle les étudia avec attention. Pas de doute, c'étaient des œuvres du même artiste. D'ailleurs, ils repré-sentaient tous des vues de l'île de Drakon. Apparemment, Théo avait des raisons très précises de s'intéresser à cette île… Lesquelles ?

Quelques instants plus tard, elle entendit la porte du bureau s'ouvrir. Lorsqu'elle vit Théo arriver du fond du couloir, un frisson la parcourut. Il avait changé son costume contre un jean et un T-shirt moulants qui soulignaient chacun de ses muscles…

Ce spectacle lui avait manqué, reconnut-elle. Pour elle, le contempler était un plaisir sublime. En fait, elle avait toujours eu du mal à croire qu'un homme aussi superbe partageait son lit.

— Prête pour le dîner? demanda-t-il en arrivant à sa hauteur.

— Oui, répondit-elle sur le même ton léger. Je meurs de faim. J'ai l'impression que le déjeuner remonte à un siècle.

Il passa un bras autour de sa taille et elle tressaillit, à la fois surprise et électrisée. De toute évidence, il avait décidé d'oublier leur dispute et de se comporter avec elle comme s'ils étaient un couple tout à fait normal.

Alors qu'il l'entraînait vers la salle à manger, elle prit une décision. S'ils se comportaient comme un couple normal, elle devait se sentir libre de lui parler sans détour.

— Attends… Il y a quelque chose qui m'intrigue. Je voudrais savoir pourquoi Drakon et toi possédez des tableaux du même artiste.

Elle le sentit se raidir.

— Tu n'as pas encore compris que je déteste les gens qui se mêlent de ce qui ne les regarde pas? demanda-t-il d'un ton crispé.

Elle lui fit face et plongea son regard dans le sien.

— Ma question n'a rien d'indiscret. Si je dois devenir ta femme, il me semble que j'ai le droit d'en savoir un peu plus à ton sujet. Je suppose que tu as envie que Lucas grandisse avec des parents capables de discuter, non?

Théo considéra un instant les grands yeux bleus de Kerry levés vers lui. Elle avait raison, reconnut-il avec surprise. Il avait eu un réflexe de défense, parce qu'il était déterminé à protéger le passé de sa famille contre toute indiscrétion. Mais cette réaction n'était pas justifiée. Kerry était la mère de son fils et faisait désormais partie de la famille. Il était normal qu'elle lui pose des questions et il se devait d'y répondre… au moins partiellement.

Autrefois, ils n'avaient jamais eu de discussion très

personnelle. D'ailleurs, si leur relation avait été moins superficielle, Kerry aurait sans doute eu beaucoup plus de mal à lui cacher sa grossesse. Aujourd'hui, la situation exigeait qu'ils nouent des liens beaucoup plus solides. Il n'avait aucune envie qu'elle lui cache quoi que ce soit d'autre à l'avenir.

— C'est mon oncle qui a peint ces tableaux.

— Ton oncle était peintre ? C'est fantastique ! Pourquoi ne m'as-tu jamais dit qu'il avait vécu sur l'île de Drakon ?

— Comment le sais-tu ?

— Je viens juste de le comprendre. Le premier soir, pendant que nous t'attendions pour dîner, j'ai interrogé Drakon sur les tableaux accrochés dans le couloir. Il m'a dit que le peintre avait vécu sur l'île autrefois.

— C'est exact.

S'efforçant de rester impassible, Théo réprima un juron. Bon sang ! Que savait exactement le vieil homme au sujet de ces tableaux et de l'histoire qui s'y rattachait ?

— Il m'a dit qu'ils lui ont été vendus en même temps que la maison lorsqu'il a acheté l'île il y a vingt-cinq ans, poursuivit-elle. Le vendeur était un promoteur immobilier en difficulté, qui n'avait plus les moyens de construire quoi que ce soit sur l'île et qui souhaitait s'en débarrasser au plus vite.

Théo hocha la tête.

— Le promoteur en question a laissé une belle pagaille quand il a fait faillite.

— Vraiment ? Mais… est-ce que ton oncle lui avait vendu l'île ?

— Non, pas exactement.

Passant nerveusement la main dans ses cheveux, Théo sortit sur la terrasse qui surplombait la piscine.

— Cette île appartenait à la famille de ma mère. Sa sœur jumelle, ma tante Dacia, était mariée à ce peintre.

— Pourquoi ont-ils vendu l'île ? C'est un endroit tellement magnifique… Et pourquoi ont-ils laissé les tableaux dans la maison ?

Théo détourna les yeux, de plus en plus déstabilisé. Kerry était manifestement fascinée par cette histoire. Et ses questions la rapprochait de plus en plus d'une vérité qu'il n'avait aucune envie de lui dévoiler.

Il réprima une moue d'autodérision. Ne venait-il pas de décider qu'il devait avoir des discussions franches avec sa future épouse ? Mais c'était plus fort que lui, il ne pouvait s'empêcher d'éprouver des réticences à évoquer cette affaire déplorable. Pourtant, ce n'était pas un secret. Les faits étaient connus et n'intéressaient à vrai dire pas grand monde à part sa famille. Cependant, c'était quelque chose dont il n'aimait pas parler. Il se sentait honteux. Honteux d'être le fils de son père.

— Tu n'es pas obligé de me répondre si tu n'en as pas envie.

Kerry considérait attentivement Théo. Il était manifestement mal à l'aise. Mieux valait ne pas insister : elle n'avait aucune envie de lui arracher des confidences qu'il pourrait regretter par la suite. L'équilibre auquel ils semblaient être parvenus ne restait-il pas très fragile ?

Délibérément, elle se détourna de lui pour contempler le coucher du soleil. Dans le jour déclinant, l'eau de la piscine à débordement, dorée par les derniers rayons du soleil, semblait se fondre dans la mer Egée.

Cette île était belle, mais il fallait reconnaître qu'elle n'avait pas le même charme que celle de Drakon. Sans doute était-ce le caractère sauvage de cette dernière qui la rendait aussi envoûtante…

— Cela a dû être un déchirement pour ta mère et sa sœur de quitter leur île, déclara-t-elle après un long silence.

— Ma mère est partie très tôt. Elle rêvait d'une vie plus animée sur le continent. Ma tante en revanche était très attachée à l'île. Elle était encore relativement jeune lorsque mes grands-parents sont morts, mais elle a décidé de reprendre la petite fabrique artisanale d'huile d'olive qu'ils avaient montée. Par la suite, elle a loué des chambres à des peintres et à des artistes. C'est comme ça qu'elle a rencontré mon oncle, Demos.

— Qu'est-ce qui les a poussés à partir ?

— Mon père.

Elle tressaillit. Comme la voix de Théo était devenue dure, tout à coup... Chargée d'un mépris cinglant.

Se mordant la lèvre, elle le considéra avec appréhension. La discussion prenait un tour dangereux, elle le sentait... Elle ferait mieux de s'en tenir à sa première résolution et d'éviter de poser de nouvelles questions. Elle savait que Théo était brouillé avec son père, mais elle avait toujours ignoré pourquoi.

— Il n'a jamais pu s'empêcher de se mêler de la vie des autres, poursuivit-il avec une amertume manifeste. Et à cause de cette manie détestable, ma tante et mon oncle ont perdu leur île. Demos est mort sans un sou, écrasé par la culpabilité, parce qu'il se sentait responsable de ce désastre. Et ma tante est restée seule, le cœur brisé, après avoir perdu l'homme de sa vie et son île.

— Comme c'est triste... Est-elle toujours en vie ? Je ne vous ai jamais entendus parler d'elle, Corban et toi.

— Elle ne veut plus nous voir. Elle ne veut plus entendre parler de nous à cause de mon père.

— Mais c'est injuste ! Tu n'es pas responsable des actes de ton père ! Tu ne le vois même plus !

— Dacia a trop souffert de ce qui s'est passé pour avoir un point de vue rationnel sur la situation. Pendant des années ma mère a tenté de l'aider, mais elle a toujours refusé obstinément parce que, en réalité, l'argent provenait de mon père. L'homme qu'elle haïssait le plus au monde.

Théo se détourna en passant de nouveau la main dans ses cheveux. Le cœur de Kerry se serra. Elle aurait tellement aimé pouvoir le réconforter ! Mais comment ? C'était délicat. Si elle commettait la moindre maladresse, elle risquait de le braquer...

— Mon père a réussi à convaincre mon oncle que ma tante et lui ne pouvaient continuer à se contenter d'une vie aussi frugale. Qu'il devait se montrer un peu plus ambitieux, pour le bien de Dacia. Alors que celle-ci était parfaitement heureuse de la vie qu'ils menaient ! Bref, il les a si bien manipulés l'un et l'autre qu'il a fini par les persuader d'hypothéquer l'île et d'investir l'argent. Les investissements en question se sont révélés très hasardeux. Très vite, mon oncle et ma tante ont tout perdu.

Théo se tourna de nouveau vers Kerry, les traits altérés par une rage impuissante.

— Mon père est un homme redoutable. Ils n'auraient jamais dû l'écouter. Avant de mourir, ma mère a exprimé le souhait que sa sœur puisse récupérer son île.

— Voilà pourquoi tu as décidé de l'acheter à Drakon... Ta tante t'en sera très reconnaissante.

Théo haussa les épaules.

— Je ne sais pas.

Devant son air désabusé, le cœur de Kerry se serra de nouveau.

— Bien sûr que si, affirma-t-elle en lui prenant la main.

Pendant un instant, il resta immobile, les yeux fixés sur

leurs mains nouées. Elle déglutit péniblement. Pourquoi s'était-elle permis ce geste ? C'était trop tôt… Il allait la repousser et les liens ténus qui venaient de se tisser entre eux seraient rompus…

Mais tout à coup, il noua ses doigts aux siens, comme autrefois.

— Je comprends ce que ressent ma tante vis-à-vis de mon père et de son argent… parce que je ressens exactement la même chose, déclara-t-il d'une voix rauque. Il s'est toujours mêlé de ma vie, il a toujours essayé de me contrôler et de m'imposer ses choix. Dès que j'ai été majeur, je suis parti de chez moi. J'ai créé ma propre entreprise en partant de rien. Je n'ai jamais accepté un sou de mon père.

— C'est fantastique. Lucas sera très fier de son père.

A ces mots, Théo fut submergé par une émotion intense. Comment avait-elle deviné son souhait le plus cher ? Nouer avec son fils la relation d'estime réciproque qu'il n'avait jamais eue avec son père…

Il voulait que Lucas l'aime et soit fier de lui. Et les paroles de Kerry le touchaient bien plus qu'il n'aurait pu l'imaginer.

Elle l'enveloppait d'un regard confiant, comme autrefois, à l'époque où tout était si simple entre eux…

Les derniers rayons du soleil couchant baignaient sa peau claire d'une lumière dorée et faisaient briller ses boucles blondes.

— Tu es belle, murmura-t-il en prenant son visage entre ses mains.

Se penchant vers elle, il effleura ses lèvres. Encouragé par le petit soupir de la jeune femme, il enfonça les doigts dans ses cheveux et approfondit son baiser. Comme ses lèvres étaient douces… Lorsqu'il sentit sa langue se mêler timidement à la sienne, il fut submergé par une vague de désir qui lui coupa le souffle.

Bon sang, il avait trop envie d'elle ! Impossible d'attendre plus longtemps. Et cette fois, rien ne pourrait l'arrêter.

S'arrachant à ses lèvres, il la souleva de terre et la porta vers la maison.

9.

Théo traversa le hall à grands pas. Kerry était légère comme une plume dans ses bras. Son désir pour elle était si intense qu'il devenait presque douloureux…

Il avait l'impression exaltante de tout recommencer. Sa première nuit avec Kerry lui avait laissé un souvenir inoubliable. Alors qu'elle n'avait jamais connu d'homme, elle s'était donnée à lui sans aucune réticence. Elle lui avait offert son corps avec un naturel et une confiance qui l'avaient profondément touché. Et cette première nuit avec elle avait été une expérience exceptionnelle.

Ce soir, il avait un peu l'impression d'être revenu à ce point de départ. Comme si la méfiance et la rancune qui les avaient opposés étaient oubliées. De nouveau, ils éprouvaient l'un pour l'autre une attirance mutuelle sans arrière-pensée…

Transpercé par un éclair de désir, il s'immobilisa en bas de l'escalier et captura sa bouche. Nouant les bras sur sa nuque, la jeune femme lui répondit avec une ardeur qui ne laissait aucun doute sur le feu qui la dévorait.

Mieux valait ne pas trop s'attarder, décida-t-il. Sinon il risquait de perdre son sang-froid et de la renverser sur les marches pour lui faire l'amour sauvagement dans le hall…

Il monta l'escalier quatre à quatre, se précipita dans la chambre et referma la porte derrière eux d'un coup de pied. Son regard se posa sur le lit. Il n'avait jamais voulu se l'avouer, mais depuis le départ de Kerry, cette pièce lui semblait terriblement vide et froide.

Il reposa Kerry sur ses pieds et la contempla. Les joues en feu et les pupilles dilatées, elle respirait avec peine. Jamais il ne l'avait trouvée aussi belle…

L'attirant contre lui, il captura sa bouche dans un baiser ardent tout en couvrant son corps de caresses fébriles.

Au bout d'un moment, Kerry s'arracha aux lèvres de Théo, haletante. Parcourue de longs frissons, elle le regarda à travers la brume de sensualité qui lui brouillait la vue. L'éclat de ses yeux noirs l'électrisa tout entière.

Lorsqu'il l'avait portée dans la maison, elle avait eu le sentiment délicieux d'être une jeune mariée à qui son époux faisait franchir le seuil de leur demeure. Certes, ce n'était qu'un fantasme et la réalité était loin d'être aussi romantique… Mais peu importait. C'était si bon de se retrouver enfin dans ses bras !

Ils n'avaient pas fait l'amour depuis si longtemps qu'elle avait presque l'impression que c'était de nouveau la première fois. Les souvenirs éblouis qu'elle gardait de leurs nuits torrides lui avaient souvent semblé presque trop beaux pour être vrais, comme s'ils n'avaient existé que dans ses rêves. Dire qu'elle était sur le point de revivre cette expérience inouïe…

— Comme tu es belle !

Galvanisée par le regard ébloui de Théo, elle dégrafa sa robe dos-nu d'un geste vif et laissa le fin tissu soyeux lui glisser entre les doigts. La robe tomba à ses pieds.

— De plus en plus belle…

La voix étranglée de Théo ne laissait aucun doute sur

sa sincérité. Avec une assurance qu'elle ne se connaissait pas, Kerry s'avança vers lui sur ses talons aiguilles, en soutien-gorge de dentelle blanche et culotte assortie.

— Toi, je te trouve un peu trop habillé, murmura-t-elle avant de lui enlever son T-shirt.

A la vue de son torse hâlé à la musculature parfaite, elle déglutit péniblement. S'il ne la prenait pas dans ses bras, elle allait défaillir...

Comme s'il lisait dans ses pensées, il l'attira contre lui et la couvrit de caresses, pétrissant ses fesses avant de remonter vers son soutien-gorge, qu'il dégrafa avant de la serrer de nouveau dans ses bras. Electrisée par le contact de ses seins contre son torse, Kerry se plaqua contre lui en gémissant.

Les doigts de Théo descendirent le long de son dos puis écartèrent l'élastique de sa culotte pour faire glisser celle-ci sur ses hanches. Lorsqu'elle tomba par terre, Kerry s'en débarrassa prestement avant d'enlever ses sandales.

Le regard brûlant de Théo sur son corps entièrement nu acheva de l'embraser tout entière.

— Caresse-moi, murmura-t-elle d'un ton suppliant. J'ai besoin de sentir tes mains sur moi.

La faisant pivoter sur elle-même, il promena les mains sur son ventre, dessina la courbe de ses hanches, s'attarda sur sa taille, puis remonta peu à peu, avec une lenteur délibérée. Parcourue de longs frissons, Kerry baissa les yeux et son trouble redoubla à la vue de ses seins gonflés de désir, dont les pointes durcies frémissaient dans l'attente des caresses de Théo.

Lorsqu'il referma les mains dessus, elle en eut le souffle coupé. Il traça sur les deux globes des cercles concentriques de plus en plus petits avant de pincer délicatement les bourgeons hérissés entre ses doigts. Transpercée par mille flèches de plaisir, elle renversa la tête contre son épaule avec un petit cri étranglé.

Il parsema son cou de baisers tout en continuant de lui caresser les seins. Noyée dans un océan de sensualité, elle sentit une de ses mains redescendre lentement vers son ventre, où elle s'attarda un instant avant de s'aventurer dans sa toison soyeuse. Tremblante, envahie par une vive chaleur, elle écarta les cuisses en retenant son souffle. Lorsqu'il effleura sa fleur humide du bout des doigts, elle crut défaillir.

— Oh, Théo…

Sans cesser de titiller la pointe de ses seins, il honora le cœur brûlant de sa féminité avec une habileté diabolique. Emportée dans un tourbillon de volupté, elle ondulait des hanches, en proie à des sensations si intenses qu'elles en étaient presque insupportables.

Ses jambes finirent par se dérober sous elle, et Théo la souleva dans ses bras pour la porter jusqu'au lit.

Impatiente de s'unir à lui, elle défit sa ceinture avec des gestes fébriles et entreprit de déboutonner son jean. Mais ses doigts tremblaient tellement qu'elle dut y renoncer avec un petit cri de frustration.

Théo prit le relais et se déshabilla à la hâte.

Une fois nu, il s'immobilisa au pied du lit et la couvrit d'un regard avide. L'éclat de ses yeux noirs attisa le feu qui brûlait en elle, menaçant de lui faire perdre la raison. Le souffle court, elle leva les bras vers lui avec un regard suppliant.

Lorsqu'il se pencha sur elle, elle s'offrit à lui en creusant les reins, impatiente de l'accueillir. Alors il plongea dans sa chaleur moite d'un seul mouvement puissant. Assaillie par des sensations inouïes, Kerry noua les jambes sur ses reins, l'invitant à s'enfoncer au plus profond de sa féminité brûlante. L'espace de quelques secondes il s'immobilisa, la soumettant à une torture insoutenable.

Puis, cédant à ses supplications, il l'entraîna dans une danse lascive, d'abord nonchalante, puis de plus en plus endiablée. Emportée dans une spirale de feu tourbillonnante, elle s'abandonna au rythme enivrant de ses reins, haletante, submergée par des sensations dévastatrices.

Tout à coup, le monde chavira. Balayée par une vague de plaisir d'une force prodigieuse, elle sombra dans le gouffre de la volupté avec un cri rauque auquel se mêla celui de Théo.

Un rayon de lune argenté transperçait la pénombre de la pièce. Allongée sur le lit, Kerry écoutait la respiration de Théo. Même lorsqu'il dormait, sa présence semblait occuper tout l'espace. Mais pour la première fois depuis qu'il était revenu dans sa vie, cette sensation ne lui causait aucune appréhension.

Au contraire, elle lui apportait une sérénité incomparable. Elle avait l'impression qu'elle aurait pu rester toute sa vie ainsi, allongée sur ce lit, baignée par la chaleur émanant de l'homme superbe qui se trouvait à côté d'elle.

Le plaisir surnaturel qu'elle avait partagé avec lui continuait d'irradier dans tout son corps. Jamais elle ne s'était sentie aussi comblée.

Mais surtout, elle était désormais pleine d'espoir pour leur avenir commun... Elle le sentait, la conversation qu'ils avaient eue sur la terrasse, tout à l'heure, marquait un tournant dans leur relation.

Chacun avait fait un pas vers l'autre et nul doute qu'au fil du temps, ils deviendraient de plus en plus proches.

Le lendemain matin, Kerry descendit très tôt au rez-de-chaussée pour donner son biberon de lait à Lucas, qui s'était réveillé à l'aube comme à son habitude.

Lorsqu'elle sortit sur la terrasse, Théo était en train de nager dans la piscine. Elle s'assit avec Lucas sur les genoux et admira ce spectacle impressionnant. Théo était vraiment un nageur-né. Il fendait l'eau avec l'aisance et la grâce d'un dauphin. Elle ne se lassait jamais de le regarder…

La journée s'annonçait splendide. Les premiers rayons du soleil striaient le ciel de griffures rosées. Au loin, la mer étale était d'un bleu très pâle, presque argenté. Quel plaisir d'être de retour en Grèce !

Soudain, Théo s'arrêta de nager et les aperçut. Kerry lui fit un petit signe alors qu'il se dirigeait vers les marches, et un sentiment délicieux l'envahit tout entière. Oui, ce matin elle se sentait à sa place dans cette maison. Comme si elle venait enfin de rentrer chez elle après une longue absence.

Théo sortit de la piscine, tel un dieu grec émergeant des flots. A la vue de son corps athlétique ruisselant d'eau, elle fut assaillie par une bouffée de désir.

— Bonjour, dit-elle d'une voix rauque.

Il s'essuya avant de la rejoindre.

— Bonjour. Comment vas-tu, ce matin ? Et Lucas ?

— Nous allons très bien tous les deux, merci.

S'efforçant de détacher les yeux de son torse puissant, elle prit une profonde inspiration. Qu'avait-il prévu pour la journée ? Devait-il se rendre à Athènes ? Dire qu'hier elle avait été soulagée qu'il quitte l'île ! Aujourd'hui, elle n'avait qu'une envie : passer la journée avec lui.

— Je vais prendre une douche, annonça-t-il. Ensuite

j'aimerais bien passer un peu de temps avec toi et Lucas, si ça te convient.

Le cœur gonflé de joie, elle lui adressa un sourire éclatant.

— Avec plaisir.

Théo sortit de la douche en sifflotant. Quelle nuit il avait passée avec Kerry ! L'abandon total avec lequel ils avaient fait l'amour augurait bien de l'avenir...

La sonnerie de son portable lui arracha un juron.

— Diakos, lança-t-il, irrité contre son assistant.

Que lui prenait-il de l'appeler si tôt ? Il valait mieux pour lui que ce soit important...

Deux minutes plus tard, il regagna la terrasse d'une humeur massacrante et faillit bousculer Kerry, qui rentrait dans la maison en parlant à Lucas sans regarder où elle allait.

— Que se passe-t-il ? s'exclama-t-elle.

— Je viens de recevoir une mauvaise nouvelle.

Il l'entraîna dans le salon et s'assit avec elle sur le canapé.

— C'est Drakon. Son état a empiré. Il a été hospitalisé à Athènes.

— Oh, non... le pauvre ! C'est très grave ?

— Je ne sais pas encore. Mon assistant est en train de se renseigner. Je te tiendrai au courant dès que j'aurai du nouveau.

Elle sentit sa gorge se nouer. Savoir Drakon dans un lit d'hôpital à Athènes était tellement triste...

— Peut-il recevoir des visites ?

— Je vais voir.

Plus tard ce jour-là, ils apprirent que Drakon allait mieux et qu'il avait demandé que Théo aille le voir à l'hôpital pour discuter de la vente de l'île.

— Oh, tant mieux ! s'exclama Kerry, soulagée. Il doit être rétabli.

— Oui, répondit sobrement Théo.

En réalité, il ne partageait pas cet optimisme, mais mieux valait ne pas alarmer Kerry. Elle s'était visiblement beaucoup attachée au vieil homme.

Impassible, il feuilleta une liasse de documents avant de la mettre dans sa serviette. Il y avait au contraire de grandes chances pour que Drakon ait décidé de mettre toutes ses affaires en ordre au plus vite parce qu'il sentait ses forces l'abandonner.

— Tu devrais lui expliquer pourquoi tu veux acheter son île, déclara Kerry. Il n'hésiterait plus. Il te la vendrait aussitôt.

— Il me la vendra de toute façon, répliqua-t-il d'un ton vif. Mon offre est la meilleure qu'il ait reçue.

— Mais ce n'est pas l'argent qui l'intéresse ! Ce qui lui importe, le plus c'est que son île ne soit pas défigurée par du béton.

— Ecoute, je n'ai pas besoin de tes conseils, d'accord ? Ce n'est pas parce que je t'ai expliqué pourquoi je voulais acheter cette île que tu dois te sentir autorisée à donner ton avis.

Théo regarda Kerry avec exaspération. Pour qui se prenait-elle ? La jeune femme qui avait partagé sa vie autrefois ne se serait jamais permis de lui expliquer comment gérer ses affaires !

— Je pense à Drakon, c'est tout.

Kerry soutint le regard glacial de Théo sans ciller. Quelle arrogance ! Dire qu'elle s'était réjouie de l'évolution de leur relation ! En réalité rien n'avait changé. La distance qui les séparait était toujours aussi grande.

Il était vrai qu'autrefois, elle n'aurait jamais osé lui donner le moindre conseil. Mais aujourd'hui, elle avait changé. Elle n'était plus la jeune femme timide qui se faisait aussi discrète que possible. Peut-être parce qu'elle était devenue mère et que depuis six mois, elle n'était plus uniquement responsable d'elle-même. Elle avait appris à prendre des décisions importantes ayant des conséquences sur une autre vie que la sienne.

Mais peu importaient les raisons de son changement d'attitude. Aujourd'hui, elle était incapable de ne pas dire ce qu'elle pensait. Et tant pis si ça ne plaisait pas à Théo !

— C'est un vieil homme malade et tu as le pouvoir de lui donner une assurance essentielle pour lui ! insista-t-elle avec feu. Pourquoi lui refuser cette joie ?

— La raison pour laquelle je veux acheter l'île ne le regarde pas.

— Il a consacré les vingt-cinq dernières années de sa vie à la protéger ! S'il savait que tu as l'intention de la rendre à ta tante, afin qu'elle puisse y vivre comme lui, en harmonie avec la nature, ce serait un immense réconfort pour lui.

— Je n'ai jamais fait des affaires avec des bons sentiments et je n'ai pas l'intention de commencer aujourd'hui.

— Mais ce n'est pas une affaire comme les autres pour toi. Reconnais-le !

— Inutile d'insister. Il n'est pas question que je raconte l'histoire de ma famille à un étranger, répliqua sèchement Théo. Les Diakos n'ont pas l'habitude de laver leur linge sale en public.

Kerry leva les yeux au ciel, exaspérée.

— Tu n'es pas obligé de tout lui raconter en détail ! Il suffit de lui expliquer que ta tante est aussi attachée que lui à cette île, et aussi respectueuse de la nature.

— Je n'étais pas obligé de tout te raconter à toi, et je regrette amèrement de l'avoir fait !

Refermant son attaché-case d'un coup sec, Théo se leva et se dirigea à grands pas vers la sortie.

— Après tout ce qui s'est passé, tu devrais pourtant savoir que dans la famille, nous réglons nos problèmes entre nous. Discrètement.

Kerry se souvint de la conversation qu'elle avait surprise le soir où il l'avait mise dehors.

— Oui, je le sais, en effet ! Pour toi, Hallie était un problème, alors tu avais décidé de lui prendre son fils avant de t'occuper d'elle « discrètement ».

— Il aurait mieux valu pour tout le monde que cela se passe ainsi.

Théo ferma la porte du salon et s'avança vers Kerry, la mine sombre.

— Hallie est alcoolique, déclara-t-il d'un ton posé. Corban voulait la faire soigner mais elle refusait. Elle aurait pu suivre une cure à l'étranger dans un excellent établissement, à l'abri des regards indiscrets et des commentaires malveillants. Après le scandale provoqué par son accident, cette solution a dû être écartée. A l'époque, il était seulement question de mettre Nicco à l'abri, le temps qu'elle suive une cure. En raison du harcèlement des médias, il a été impossible de la faire soigner discrètement et elle a mis beaucoup plus de temps à s'en sortir. Ton intervention a non seulement provoqué un accident qui aurait pu être dramatique, mais elle a failli briser le mariage de Corban et d'Hallie.

Atterrée, Kerry resta sans voix. Hallie, alcoolique ? Théo et Corban essayaient de l'aider ?

— Parce que tu es la mère de mon fils, tu feras bientôt partie de cette famille. Mais si tu veux garder ta place — au sein de la famille et auprès de Lucas — je te conseille de ne plus jamais te mêler de ce qui ne te regarde pas, ajouta Théo d'un ton impérieux.

— Ne me menace pas, répliqua-t-elle d'une voix tremblante. Tu ne me prendras jamais Lucas !

— Si je l'estime nécessaire, je n'hésiterai pas. Tu ferais bien de ne pas l'oublier.

Sur ces mots, Théo rouvrit la porte et quitta la pièce.

10.

Le jasmin en fleur embaumait les rues voisines de la place Kolonaki, bordées de boutiques chic. Aux terrasses des cafés, les Athéniennes en compagnie d'hommes d'affaires prospères rivalisaient d'élégance.

Kerry poussait la poussette de Lucas, le cœur serré. Ce parfum était typique d'Athènes et il lui rappelait son premier été dans la ville… lorsqu'elle avait eu le coup de foudre pour Théo.

Elle avait été subjuguée par son charme irrésistible. A l'époque, elle se croyait parfaitement heureuse avec lui. Malheureusement ce bonheur était factice. Si leur relation avait été aussi harmonieuse, c'est parce qu'elle faisait tout ce qu'il voulait sans jamais le contrarier. Sans jamais rien lui demander.

Si elle avait été plus sûre d'elle et plus expérimentée, elle n'aurait peut-être pas été aussi éblouie par lui. Et elle se serait peut-être rendu compte que leur relation était très superficielle. Mais elle était beaucoup trop aveuglée par l'amour pour voir au-delà de la joie qu'elle éprouvait à être en sa compagnie.

Certaines personnes n'avaient pas d'autre ambition que de vivre dans le présent sans penser à l'avenir. Ce n'était pas son cas. Enfant, elle rêvait de vivre entourée d'amour au sein d'une famille unie. Aujourd'hui, elle avait ce même rêve pour son fils. Malheureusement, il semblait impossible. Chaque jour, Théo devenait un peu plus distant.

Ils étaient rentrés à Athènes et les préparatifs du mariage — qui devait être célébré dans l'intimité, en famille — avaient commencé. Mais la communication était rompue entre eux. Ils ne s'adressaient la parole que pour échanger des informations au sujet de Lucas.

Elle aurait tellement aimé avoir une discussion franche avec lui pour tenter de détendre l'atmosphère… Mais leur dernière dispute avait été si violente qu'elle craignait d'envenimer au contraire la situation.

Du moins comprenait-elle mieux à présent pourquoi Théo avait été aussi furieux contre elle, le soir où Hallie avait eu son accident. Toutefois, cela ne lui apportait aucun réconfort. Bien au contraire. Elle était accablée de remords.

Pas un instant, elle n'avait soupçonné qu'Hallie était alcoolique… Avec le recul, elle se rendait compte que certains signes auraient dû l'alerter. Mais le plus souvent, elle voyait son amie lors de dîners ou de soirées, et elle n'avait jamais remarqué qu'elle buvait trop.

Par ailleurs, elle avait entendu dire que les alcooliques étaient souvent très habiles pour donner le change. Sans compter que Théo et Corban s'étaient sans doute arrangés eux aussi pour que le problème ne devienne pas apparent.

Le cœur lourd, elle décida de regagner l'hôtel. Comment faire comprendre à Théo qu'elle regrettait amèrement d'avoir commis un tel impair ? Elle n'osait plus aborder le sujet. Pourtant, il faudrait bien crever l'abcès un jour ou l'autre. La tension qui existait entre eux ne se dissiperait pas d'elle-même.

Et plus le temps passait, plus le gouffre qui les séparait s'élargissait.

Elle prit l'ascenseur jusqu'au dernier étage de l'hôtel, entièrement occupé par les deux appartements de la famille, puis elle prépara Lucas pour sa sieste.

— Il est l'heure de dormir, mon ange, dit-elle en l'allongeant dans son berceau.

Il s'endormit presque aussitôt et elle quitta la pièce. Intriguée par le clapotis et les rires qui parvenaient de l'extérieur, elle sortit sur la terrasse et jeta un coup d'œil sur celle de l'appartement voisin. Son cœur fit un bond dans sa poitrine.

Corban, Hallie et Nicco étaient rentrés de voyage.

Comme ils semblaient heureux, tous les trois ! Nicco avait beaucoup grandi, Hallie était de nouveau enceinte et le visage de Corban rayonnait d'amour et de fierté. Ils s'amusaient tous les trois dans la piscine. C'était un moment de bonheur familial parfait.

Dire qu'à cause d'elle, ce moment avait failli ne jamais avoir lieu…

Ecrasée de culpabilité, elle éclata en sanglots.

Théo se dirigea à grands pas vers l'ascenseur. Son personnel venait de l'informer — comme il en avait la consigne — que Kerry venait de regagner l'hôtel. Il fallait la prévenir que Corban et Hallie étaient rentrés de voyage. En effet, mieux valait éviter qu'elle tombe sur eux par hasard. Tout le monde risquait d'être très embarrassé… Il préférait être présent lorsqu'ils se reverraient pour la première fois.

Il traversa l'appartement à pas feutrés au cas où Lucas dormirait déjà et trouva Kerry sur la terrasse. Perplexe, il s'immobilisa à quelques mètres d'elle. Que lui arrivait-il ?

Recroquevillée sur elle-même, elle était secouée de tremblements…

Elle pleurait, comprit-il soudain.

— Kerry ?

Se tournant vers lui, elle s'exclama entre deux
sanglots :

— Je suis désolée ! Oh, Théo, je regrette tellement ma
réaction impulsive le soir de l'accident !

S'efforçant d'ignorer l'élan de compassion qui l'envahit,
Théo crispa les mâchoires. Ses excuses ne changeaient rien
au problème : elle s'était mêlée de ce qui ne la regardait pas
et avait mis en danger son neveu et sa belle-sœur.

— J'ai commis une erreur impardonnable…

Kerry prit une profonde inspiration.

— Mais je n'ai jamais voulu nuire à personne. Il faut
que tu comprennes que je croyais bien faire.

— Justement, je n'ai jamais réussi à comprendre ta
conduite, répliqua-t-il avec sincérité. Qu'est-ce qui t'a
pris ?

— Je n'ai pas pu m'empêcher de penser à ma mère,
répondit-elle après un silence. Et à ce qui l'a tuée…

Se détournant de lui, elle enfouit son visage dans ses
mains.

Interloqué, il haussa les sourcils. De quoi parlait-elle ?
Quel rapport pouvait-il y avoir entre la mort de sa mère et ce
qui s'était passé, le soir où Hallie avait eu son accident ?

— On lui a enlevé son bébé, expliqua-t-elle. On m'a
enlevée à ma mère… et ça l'a tuée.

Kerry essuya ses larmes et se tourna de nouveau vers
lui. Les yeux rouges, le regard désespéré, elle tremblait
de tout son corps.

Théo eut un pincement au cœur. De toute évidence,
évoquer ce souvenir la bouleversait. Il lui tendit la main.

— Viens t'asseoir à l'intérieur.

Se recroquevillant sur elle-même, elle eut un mouvement de recul. Il n'insista pas. De toute évidence, elle était trop perturbée pour supporter qu'on la touche.

Après un instant d'hésitation, elle le contourna pour rentrer dans le salon et se dirigea vers le canapé d'un pas chancelant.

Il lui servit un verre d'eau froide et s'assit à côté d'elle.

Kerry prit le verre avec des doigts tremblants et but une longue gorgée. Ses paumes étaient moites, constata-t-elle. Et elle avait l'impression que son cœur n'avait jamais battu aussi fort... C'était la première fois qu'elle parlait de sa mère à quelqu'un.

Cela lui avait échappé et elle n'avait aucune envie d'en dire plus. Que penserait Théo lorsqu'il connaîtrait la vérité ? Mais à présent qu'elle avait commencé, elle était obligée d'aller jusqu'au bout...

— Ma mère m'a eue très jeune. A seize ans.

Elle jeta un coup d'œil furtif à Théo. Etait-il choqué ? Impossible de le deviner. Son visage était impénétrable. Fixant de nouveau les yeux sur son verre, elle poursuivit.

— Ma grand-mère l'a mise à la porte après l'avoir obligée à me confier à elle. J'ai été élevée avec Bridget, sa fille cadette, beaucoup plus jeune que ma mère. En réalité, ma grand-mère n'avait aucune envie de s'occuper de moi et elle me l'a fait sentir tous les jours. Mais surtout, cette séparation a détruit la vie de ma mère. Elle a été accablée par un sentiment d'échec insupportable et elle n'a jamais pu s'en remettre.

Kerry s'interrompit pour boire une autre gorgée d'eau. C'était très étrange... En même temps qu'elle parlait à

Théo, elle avait l'impression d'entendre quelqu'un d'autre raconter sa vie.

— Bridget est donc ta tante, commenta Théo d'un ton neutre.

— Oui, mais je l'ai toujours considérée comme ma sœur et c'est réciproque. Nous avons grandi ensemble et il n'y a pas une très grande différence d'âge entre nous.

Kerry prit une profonde inspiration.

— Peut-être que si ma mère avait pu me garder elle aurait eu un but dans la vie, une raison de se prendre en main. Mais étant donné les circonstances, elle a sombré dans l'alcool et la drogue. Elle est morte d'une overdose.

— Je suis désolé. Cela a dû être très dur pour toi.

— A l'époque, je croyais que c'était ma sœur aînée. Je ne la connaissais même pas, puisque ma grand-mère l'avait chassée de chez elle.

Pour la première fois depuis le début de son récit, Kerry sentit Théo tressaillir. Elle lui jeta de nouveau un regard furtif. Il était manifestement atterré.

— Ta grand-mère ne t'avait pas dit qui était ta mère ? s'exclama-t-il d'un ton incrédule. Elle t'a menti ?

— Elle a prétendu avoir agi dans l'intérêt de tout le monde. En réalité, elle avait honte que sa fille ait eu un bébé aussi jeune. Je n'ai découvert la vérité qu'à dix-huit ans, quand j'ai obtenu un emploi dans une agence de voyages. Pour faire faire un passeport, j'ai eu besoin d'un extrait d'acte de naissance.

Kerry sentit son cœur se serrer. Jamais elle n'oublierait le choc qu'elle avait reçu en voyant le nom de sa sœur inscrit dans le cadre réservé à celui de sa mère.

A l'époque, sa mère était déjà morte. Elle n'avait pas eu le temps de la connaître. Sa grand-mère les avait privées l'une et l'autre du droit de tisser des liens.

Soudain, elle sentit les bras de Théo se refermer sur elle.

Elle s'abandonna avec une gratitude infinie à ce geste de réconfort. Quel soulagement de savoir qu'il n'était pas rebuté par son histoire !

— Je suis désolée, murmura-t-elle. J'aurais tellement aimé offrir à Lucas une autre histoire familiale.

— Tu n'as pas à t'excuser pour des faits dont tu n'es pas responsable.

Théo écarta avec douceur les cheveux de Kerry de son visage baigné de larmes, puis il lui prit le menton et plongea son regard dans le sien.

— Tout ce qui compte pour moi, c'est que Lucas reçoive ce dont il a le plus besoin : l'amour de ses deux parents.

Une vive émotion submergea Kerry. Théo était sincère. Il n'y avait aucun doute là-dessus. Quel soulagement ! C'était comme s'il venait de la débarrasser de l'énorme fardeau qui l'écrasait depuis toujours.

Théo glissa les doigts dans les cheveux de Kerry et referma la main sur sa nuque. Pas étonnant qu'elle ait eu une réaction aussi impulsive lorsqu'elle avait surpris sa conversation avec Corban ! Sa conduite lui apparaissait à présent sous un tout autre jour...

— Je n'aurai jamais le courage d'affronter Hallie et Corban..., murmura-t-elle.

A peine cet aveu eut-il franchi ses lèvres que Kerry se mordit la lèvre. Elle n'avait pas le droit de se montrer aussi lâche. Il fallait assumer son erreur.

— Je te soutiendrai, répliqua Théo en la serrant contre lui.

— Merci, murmura-t-elle, l'estomac noué.

Corban devait lui en vouloir terriblement d'avoir mis sa

femme et son fils en danger. Parviendrait-il à lui pardonner ? Et Hallie ? Comment allait-elle réagir ?

— N'y pense pas pour l'instant, conseilla Théo en effleurant sa joue du bout des lèvres. Ne pense à rien.

Parcourue d'un long frisson, Kerry ferma les yeux, tandis qu'il parsemait son visage de baisers légers, essuyant ses larmes au passage.

C'était merveilleux de savoir qu'il n'y avait plus de secrets entre eux… Théo savait tout d'elle, mais ça ne l'empêchait pas de l'embrasser, de la caresser…

Avec un petit soupir, elle lui offrit sa bouche. Il s'en empara avec fougue et elle fut submergée par un désir irrépressible. Impatiente de sentir son corps nu contre le sien, elle le débarrassa de ses vêtements avec des gestes fébriles pendant qu'il faisait de même avec les siens.

Quelques secondes, plus tard, ils étaient nus l'un et l'autre, face à face, et ils se dévoraient des yeux.

Parcourue de longs frissons, Kerry ne se lassait pas de regarder Théo. Quel corps superbe ! Sa virilité gorgée de désir était fascinante… Sa seule vue suffisait à l'embraser tout entière.

Son regard étincelant était très troublant lui aussi. Il se promenait sur elle, traçant un sillon brûlant sur ses seins, son ventre, entre ses cuisses… Le souffle court, elle fut envahie par une vive chaleur.

Dès que ses doigts effleurèrent sa peau, elle fut emportée dans un tourbillon de sensualité.

Etourdie par les sensations inouïes que faisaient naître les caresses et les baisers de Théo, elle ne s'appartenait plus. Sans savoir comment, elle se retrouva tout à coup allongée sur le canapé.

Soudain, elle sentit la langue de Théo s'insinuer jusqu'au cœur de sa féminité, qu'elle explora avec une sensualité redoutable. Submergée par des vagues de plaisir qui lui arrachaient de longs gémissements modulés, Kerry atteignit très vite le sommet de la volupté.

Avant qu'elle ait le temps de redescendre sur terre, Théo se redressa et s'enfonça au plus profond d'elle. Aspirée par une spirale de feu tourbillonnante au sein de laquelle ils ne formaient plus qu'un seul être, elle s'abandonna au rythme enivrant de ses reins. Quelques instants plus tard, ils s'abîmèrent dans le gouffre de la jouissance avec un même cri rauque.

Kerry sourit tendrement en regardant Théo allongé à côté d'elle. Tout son corps vibrait encore de plaisir et son cœur était gonflé d'un bonheur tout nouveau, qu'elle n'avait jamais ressenti auparavant. Elle avait révélé à Théo tous les détails sordides de son passé et son désir pour elle n'en avait pas été altéré !

Elle traça du bout des doigts le contour de sa mâchoire carrée. Il ouvrit les yeux et un sourire se dessina sur ses lèvres sensuelles.

Elle lui rendit son sourire, le cœur battant. Le simple fait de le regarder suffisait à la combler de joie… et d'excitation. C'était comme si son sang pétillait dans ses veines comme du champagne. Comme elle était heureuse d'être avec lui ! Si heureuse qu'il soit le père de son enfant !

Tout à coup, elle crut que son cœur s'arrêtait de battre. Mon Dieu, c'était merveilleux… merveilleux et terrifiant à la fois.

Elle aimait Théo.

Elle était retombée amoureuse de lui.

Un peu plus tard ce jour-là, Théo emmena Kerry chez Hallie et Corban. Les jambes tremblantes, elle s'efforçait de surmonter son anxiété. Pas question de flancher, il fallait faire face. Pas seulement parce que c'était primordial pour son avenir au sein de la famille Diakos, mais parce que c'était son devoir.

— Je regrette sincèrement ce qui s'est passé la dernière fois que nous nous sommes vus, déclara-t-elle dès qu'elle pénétra dans le salon, où les attendaient Corban et Hallie. Je n'aurais jamais dû réagir de manière aussi impulsive.

Son estomac se noua. Allons bon, elle avait l'impression que sa voix résonnait dans la pièce de manière incongrue. Ces excuses étaient peut-être un peu précipitées. Mais non… De toute façon, il était impossible d'échanger des banalités comme si de rien n'était. Autant aller droit au but.

— C'est oublié, déclara Hallie avec chaleur en la serrant dans ses bras. Tout s'est bien terminé.

— Mais… quand je pense à ce qui aurait pu arriver…

A son grand dam, la vue de Kerry se brouilla. Dire qu'elle s'imaginait qu'il ne lui restait plus une seule larme à verser !

— Honnêtement, je ne me souviens pas de grand-chose, assura Hallie. Mais je te connais, Kerry. Je sais que tu étais animée de bonnes intentions. Tu m'as peut-être même rendu service, d'une certaine manière.

Kerry la regarda avec incrédulité.

— Je ne comprends pas.

— Je n'étais pas prête à admettre que j'avais besoin d'aide, expliqua Hallie en tendant un mouchoir en papier à Kerry. Je sais que ce n'était pas le meilleur moyen de prendre conscience de la situation, mais l'accident m'a ouvert les yeux.

— Mais…

— Nous te pardonnons, insista Hallie en prenant Corban par le bras. Et nous sommes très heureux à l'idée que tu vas de nouveau faire partie de la famille.

Le cœur de Kerry se gonfla de gratitude. Quelle générosité ! L'amitié d'Hallie avait toujours été très importante pour elle et c'était un immense soulagement de constater qu'elle avait survécu.

— Théo m'a expliqué ce qui s'était passé, intervint Corban.

Kerry se tourna vers lui et déglutit péniblement.

— Je sais que tu n'as pas cherché à nous nuire.

Pourtant, il n'y avait aucune chaleur dans son regard, constata-t-elle. De toute évidence, il était plus réticent qu'Hallie à lui accorder de nouveau sa confiance. Mais il acceptait malgré tout son retour au sein de la famille.

— Merci, répliqua-t-elle, sincèrement touchée.

— Si nous passions à table ? suggéra Hallie d'un ton enjoué.

Kerry fut de nouveau submergée par un élan de gratitude. C'était très généreux de la part d'Hallie de chercher ainsi à détendre l'atmosphère.

Théo suivit son frère et les deux femmes dans la salle à manger sans quitter Kerry des yeux. Elle était visiblement soulagée que cette première rencontre avec Hallie et Corban se soit aussi bien passée. Et il devait reconnaître qu'il partageait son soulagement.

11.

Au cours des semaines suivantes, Kerry et Hallie se virent très souvent et passèrent ensemble des moments très agréables. Elles étaient heureuses de retrouver leur amitié intacte.

Le mariage fut célébré dans la plus stricte intimité. Après la cérémonie, Théo emmena pour deux jours Kerry et Lucas dans l'île.

Kerry s'efforça de masquer sa déception. Elle n'espérait pas un véritable voyage de noces, bien sûr, mais deux jours, c'était si court… Elle aurait aimé pouvoir passer un peu plus de temps avec Théo. Malheureusement, il avait trop de travail pour pouvoir s'absenter d'Athènes plus longtemps.

A leur retour, Corban et Hallie étaient déjà repartis et poursuivaient le voyage qu'ils avaient interrompu pour assister au mariage. Kerry et Lucas se retrouvèrent de nouveau seuls dans la journée, et la vie reprit son cours normal.

Un jour, Kerry reçut un message de Drakon, qui lui demandait de lui rendre visite à l'hôpital. Elle fut très surprise. Selon Théo, le vieil homme n'était pas assez vaillant pour recevoir des visiteurs. L'après-midi même où il avait eu rendez-vous avec lui, l'état du vieil homme s'était aggravé. Il n'avait pu le voir et la vente de la maison était restée en suspens.

Kerry relut le mot de Drakon. Théo n'apprécierait sûrement pas qu'elle aille le voir seule, mais il était à Paris et ne rentrerait que demain… Or, elle ne voulait pas faire attendre le vieil homme. Sa santé semblait très précaire et il risquait de ne pas être en état de la recevoir si elle remettait sa visite.

Elle laissa Lucas avec la gouvernante et se rendit à l'hôpital.

— Merci d'être venue, déclara Drakon en se redressant dans le lit avec difficulté. Je n'étais pas certain que vous pourriez vous libérer.

Elle l'embrassa sur la joue en s'efforçant de masquer son désarroi. Comme il avait changé ! Il était si frêle qu'elle avait du mal à le reconnaître…

— J'ai plusieurs choses à vous demander, poursuivit-il. Excusez-moi d'aller droit au but sans perdre de temps en échange de politesses, mais je me fatigue très vite.

Kerry le regarda avec appréhension.

Quelque chose lui disait qu'elle avait tout intérêt à ne pas répondre aux questions qu'il allait lui poser…

Théo signa la dernière page de l'acte de vente et s'écarta du lit de Drakon.

— Prenez soin de mon île, déclara le vieil homme d'un ton impérieux. Et occupez-vous bien de votre charmante épouse. C'est une perle, mais je ne suis pas certain que vous en ayez conscience.

Théo réprima la réponse cinglante qui lui brûlait les lèvres. L'île était à lui désormais, il était libre d'en faire ce qu'il voulait. Quant à Kerry, il savait exactement à quoi s'en tenir à son sujet.

— Ne vous inquiétez pas, je connais parfaitement mon épouse, déclara-t-il d'un ton posé.

C'était une femme qui ne pouvait s'empêcher de se mêler de ses affaires. Une femme qui — une fois de plus — avait agi derrière son dos !

Avec un grognement sceptique, Drakon tendit la main à Théo pour sceller leur accord.

— Dans ce cas, je ne vous retiens pas. Vous avez sûrement beaucoup à faire.

Théo arqua un sourcil narquois. Décidément, ce vieil homme était toujours aussi aimable... Mais quelle importance, à présent ? Il lui serra la main sans faire de commentaire.

Il quitta l'hôpital et rentra directement à l'hôtel. Il avait enfin récupéré l'île de sa tante... Malheureusement, une autre pensée l'empêchait de savourer sa victoire.

Kerry l'avait trahi. De nouveau.

Après un dernier regard à Lucas, qui dormait déjà profondément, Kerry sortit de sa chambre et ferma silencieusement la porte.

Elle se mordit la lèvre, au comble de la nervosité. La veille, à l'hôpital, elle s'était promis de ne rien dire ou faire qui puisse contrarier Théo. Mais Drakon avait réussi à obtenir d'elle la réponse qu'il cherchait. Ou plutôt, la confirmation qu'il attendait. Parce qu'il savait déjà tout. Il lui avait raconté lui-même l'histoire de l'oncle et de la tante de Théo, puis avait suggéré que ce dernier voulait peut-être acheter l'île pour la rendre à sa tante.

Pourquoi n'avait-elle pas été capable de rester impassible ? Drakon avait lu sur son visage qu'il ne s'était pas trompé.

Théo allait être furieux. Elle avait décidé de lui expliquer au plus vite ce qui s'était passé, mais malheureusement il était injoignable. A son retour de Paris, il s'était rendu directement à son travail. Elle avait tenté de l'appeler, mais il était toujours en réunion. Et de toute façon, ce n'était pas le genre d'aveu qu'elle avait envie de lui faire par téléphone.

Elle sortit dans le jardin sur le toit, dans l'espoir d'y retrouver un semblant de sérénité. Mais le parfum des fleurs et le chant de la fontaine n'eurent pas l'effet recherché.

La dernière fois qu'elle avait attendu Théo au même endroit pour lui faire un aveu, il l'avait mise à la porte… Certes, à l'époque, elle avait commis une grave erreur qui aurait pu avoir des conséquences dramatiques. Ce qui n'était pas le cas aujourd'hui. Mais cela n'empêcherait pas Théo d'être furieux contre elle.

Au moment où elle s'apprêtait à regagner l'appartement, Théo franchit la baie vitrée.

— Je suis heureuse que tu sois rentré, dit-elle aussitôt.

Par miracle, sa voix ne tremblait pas, constata-t-elle avec satisfaction.

— J'ai quelque chose à te dire, poursuivit-elle.

— Tu es allée voir Drakon.

Elle déglutit péniblement. Il était déjà au courant…

— Oui, il m'a envoyé un mot me demandant de lui rendre visite, expliqua-t-elle. Sa santé est tellement précaire que j'ai préféré y aller sans tarder.

— J'arrive de l'hôpital.

Théo sortit l'acte de vente de son attaché-case.

— Nous avons signé.

— Oh ! C'est fantastique !

Le soulagement de Kerry fut de très courte durée. A en juger par son regard noir, Théo était furieux quand même.

— Pourquoi n'es-tu pas satisfait ? Tu as ce que tu souhaitais, non ?

— Je souhaitais une épouse qui ne se mêle pas de mes affaires.

— Je ne me suis pas mêlée de tes affaires ! protesta-t-elle avec indignation.

— Tu as transmis à Drakon des informations que je t'avais confiées.

— Non ! Drakon était déjà au courant de tout ! Il voulait juste avoir la confirmation de ce qu'il savait.

— Et tu la lui as donnée, insista sèchement Théo.

— Non ! Je n'ai pas su rester impassible. Il a lu sur mon visage que ses renseignements étaient exacts. Mais je ne lui ai rien dit.

— Ça revient au même.

— Tu aurais voulu que je nie ? Que je mente délibérément à un vieil homme malade ?

— N'essaie pas de retourner la situation, s'il te plaît. Ce n'est pas toi la victime.

— Ni toi ! s'exclama Kerry, outrée. Comment peux-tu réagir comme si j'avais voulu te nuire ? Il ne s'est rien passé de grave, que je sache ! Au contraire ! Tu as enfin acheté l'île que tu convoitais depuis des années.

— Drakon aurait fini par me la vendre tôt ou tard. Le problème n'est pas là.

Théo s'avança vers Kerry d'un air menaçant.

— Le problème, c'est que j'ai besoin d'avoir confiance en mon épouse. Or, je n'ai pas confiance en toi.

— En réalité, ce que tu veux c'est une épouse docile

qui n'exprime jamais son opinion. Sauf quand elle est conforme à la tienne.

Elle le foudroya du regard.

— Tu voudrais pouvoir traiter ton épouse comme une employée. Une femme qui exécute tes ordres sans discuter.

— Je ne tolérerai pas que tu te mêles de mes affaires, que ça te plaise ou non.

— Si tu t'imagines que tu m'impressionnes, tu te trompes ! Je ne suis plus la jeune femme craintive que tu as mise à la porte il y a plus d'un an.

— Vraiment ? Alors, pourquoi sommes-nous en train de nous quereller parce que tu m'as trahi ?

— Je ne t'ai pas trahi ! C'est ce que tu crois parce que tu es incapable d'accepter un autre point de vue que le tien. Tu veux absolument tout régenter, imposer ta volonté à tout le monde. Quelles que soient les circonstances, tu es toujours convaincu d'avoir raison.

Théo crispa les mâchoires, excédé. Pour qui se prenait-elle ?

— Je te répète qu'il est inutile d'essayer de retourner la situation en ta faveur.

— Tu ne te rends même pas compte à quel point tu es hypocrite ! cria-t-elle, au comble de l'exaspération. En voulant toujours tout régenter, c'est toi qui te mêles de la vie des autres ! Celle de Corban, celle de ta tante, la mienne !

— Je m'efforce de défendre au mieux les intérêts de chacun. Je ne vois pas où est le problème

— Le problème, c'est ta façon d'agir, qui est insupportable. Tu refuses de prendre en compte le point de vue des autres. Tu m'as dit que tu ne supportais pas que ton père se mêle de ta vie, mais tu te comportes comme lui.

— Ne me compare pas à mon père !

Devant la fureur qui déformait les traits de Théo, Kerry fut accablée par un profond découragement. Poursuivre cette discussion était au-dessus de ses forces…

— D'accord… De toute façon, discuter avec toi ne sert à rien. J'ai l'impression de marcher sur des œufs en permanence. J'ai beau faire des efforts, je finis toujours par déclencher ta colère.

— Si tu restais à ta place, nous n'aurions pas ce problème.

Relevant le menton, Kerry plongea son regard dans celui de Théo. Elle l'aimait. Malheureusement, elle n'était pas certaine que leur mariage puisse fonctionner.

Le cœur lourd, elle poussa un profond soupir.

— Tu n'entendras jamais réellement ce que je te dis. Quoi que je fasse, tu l'interpréteras toujours de façon négative.

Elle pivota sur elle-même.

— Reste ici, intima-t-il d'un ton cinglant. Je n'en ai pas terminé avec toi.

Se retournant vers lui, elle répliqua d'une voix lasse :

— Je sais. Tu n'en auras jamais terminé avec moi, malheureusement. Parce que Lucas nous lie.

Théo continua de darder sur elle un regard courroucé. Mais lorsqu'elle quitta la pièce, il ne chercha pas à la retenir.

Cette nuit-là, Kerry ne dormit presque pas. Lorsqu'elle entendit Lucas s'agiter dans sa chambre au lever du jour, elle se leva sans bruit.

Après la dispute de la veille, elle n'avait aucune envie de voir Théo. Et c'était apparemment réciproque, constata-t-elle quelques instants plus tard, lorsqu'il s'enferma dans son bureau pour travailler.

L'appartement était immense, mais elle avait le sentiment de devenir claustrophobe. Le simple fait de savoir Théo derrière la porte fermée de son bureau l'oppressait. Comme si elle vivait à côté d'un volcan susceptible d'entrer en éruption d'un instant à l'autre…

Incapable de rester enfermée plus longtemps, elle mit Lucas dans sa poussette et sortit se promener. En quittant l'hôtel climatisé, elle fut saisie par la chaleur et la lourdeur de l'atmosphère. Il était pourtant à peine 8 heures. Le temps était instable depuis quelques jours et elle avait pris l'habillage pluie de la poussette, précaution la plupart du temps inutile à Athènes en été.

Quittant l'animation du quartier d'affaires, elle gagna de dédale de ruelles étroites qui sinuaient au flanc de l'Acropole. Mais elle avait oublié que la zone touristique s'éveillait plus tardivement, et elle fut déconcertée par le calme qui régnait dans les rues désertes. Seuls quelques commerçants lavaient le trottoir devant le seuil de leurs boutiques de souvenirs.

Au bout d'un moment, elle finit malgré tout par trouver un café ouvert et s'installa en terrasse pour donner à boire à Lucas. Dans l'espoir que la combinaison de sucre et de caféine lui redonnerait un peu d'énergie, elle commanda un café et un baklava.

Mais au fil des minutes, sa fatigue s'accentua. Le temps était de plus en plus lourd et le manque de sommeil commençait à se faire cruellement sentir.

Distraitement, elle regarda le reflet des bibelots de la boutique d'en face sur le trottoir mouillé. Une pensée la poursuivait. Elle aimait Théo de toute son âme mais de son côté, il ne l'aimerait jamais. C'était une certitude à présent. Il venait une fois de plus de lui briser le cœur.

Et malheureusement, elle n'était pas certaine de trouver la force de recoller encore une fois les morceaux.

Théo observait attentivement le visage de sa tante Dacia, tandis que l'hélicoptère approchait de l'île. C'était la première fois de sa vie qu'il la rencontrait vraiment et il était encore sous le choc. La ressemblance avec sa mère était saisissante. Pas tant physiquement que dans sa façon de se mouvoir, dans ses gestes, et surtout dans sa voix.

Quelle expérience étrange de la ramener enfin sur l'île où elle avait grandi avec sa mère… A sa grande surprise, elle avait accepté immédiatement de l'accompagner, alors que jusque-là elle avait toujours refusé de lui adresser la parole. Elle lui avait même claqué la porte au nez à plusieurs reprises avant qu'il finisse par renoncer à la voir.

Après leur descente de l'appareil, elle resta silencieuse. Mais ses yeux brillaient et son visage s'était animé, constatat-il en lui jetant un coup d'œil furtif, alors qu'ils prenaient le chemin conduisant à la maison. De toute évidence, elle était très émue.

— Je n'arrive pas à y croire, finit-elle par dire lorsque la gouvernante de Drakon les accueillit dans la maison.

— Est-ce que ça a beaucoup changé ? demanda Théo.

— L'extérieur, presque pas. Et à part les meubles, l'intérieur non plus, apparemment.

— Il faut prévoir quelques réparations, précisa-t-il. Surtout sur le pressoir à olives traditionnel. L'entretien des oliveraies laisse également à désirer. J'ai déjà pris contact avec plusieurs spécialistes que nous pourrons employer pour remettre la propriété en état… si c'est ce que tu souhaites, bien sûr.

— Voici les tableaux qu'on m'a demandé de vous montrer, déclara la gouvernante de Drakon en les conduisant dans le couloir. Pendant que vous les regardez, je vais préparer des rafraîchissements.

— Oh !

Dacia porta les mains à son visage, manifestement bouleversée.

Elle s'approcha en tremblant des tableaux peints par son défunt mari et des larmes roulèrent sur ses joues.

Etreint par une étrange émotion, Théo sortit aussitôt un mouchoir de la poche de sa veste. S'approchant d'elle, il le lui tendit, puis il passa un bras autour de ses épaules avec une spontanéité qui le surprit lui-même.

Elle tressaillit et leva vers lui un regard interdit.

Aussitôt, il retira son bras et s'écarta d'elle, embarrassé.

— Excuse-moi. Je n'aurais pas dû me montrer aussi familier.

— Non ! C'est moi qui te dois des excuses.

Dacia leva vers lui un regard reconnaissant.

— Merci infiniment pour tout ce que tu fais pour moi.

— Ce n'est rien.

— Au contraire ! protesta-t-elle avec feu. Après la façon dont je t'ai rejeté, je ne mérite pas que tu te montres aussi généreux avec moi.

— Si. C'est à cause de mon père que tu as tout perdu.

— Oui, justement. Toi tu n'y étais pour rien. C'était stupide de ma part de tourner le dos à ma sœur et à ses fils. A présent que tu es devenu un homme, je regrette amèrement d'avoir perdu tout ce temps. Et je suis désolée de ne jamais avoir accepté ton aide. Quand je pense aux tableaux que j'ai renvoyés sans même les avoir déballés… C'était horriblement mesquin de ma part. Surtout après tout le mal que tu as dû te donner pour les retrouver. J'étais tellement butée que je me suis punie moi-même. Je me suis interdit de trouver un peu de réconfort auprès de vous.

— Qu'est-ce qui t'a fait changer d'avis ? J'étais ravi que tu répondes à mon coup de téléphone et que tu acceptes de venir ici avec moi, mais je dois reconnaître que j'ai également été très surpris.

— Je suis vraiment désolée… Et à ma grande honte, je dois avouer que si l'ancien propriétaire de l'île ne m'avait pas écrit pour me demander de lui rendre visite à l'hôpital, je n'aurais toujours pas retrouvé la raison.

— Drakon Notara t'a écrit ? s'exclama Théo, stupéfait.

— Oui. Je suis allée le voir et dès que je suis arrivée, il m'a dit que tu voulais acheter cette île pour me la rendre. J'ai failli faire demi-tour aussitôt, mais il est tellement charmant qu'il a réussi à me retenir.

Théo crispa les mâchoires, agacé. Notara n'avait pas chômé ! Il avait vu Kerry le matin, Dacia l'après-midi, et lui-même le lendemain !

— Que t'a-t-il raconté ?

— Sa vie. Il m'a parlé de sa femme et de leur amour commun de la nature. Il m'a dit que son vœu le plus cher était que l'île reste telle qu'elle était et qu'il ne supportait pas l'idée qu'elle puisse être livrée aux promoteurs immobiliers. C'est pour ça qu'il a commencé à s'intéresser à moi.

Dacia eut un petit sourire contrit.

— Il voulait que je lui promette de te tenir à l'œil et de t'obliger à tenir ta promesse de ne pas construire un seul hôtel sur l'île.

Théo secoua la tête. Décidément, Notara ne manquait pas d'aplomb !

— Rassure-toi, je n'ai aucune intention de construire quoi que ce soit ici, déclara-t-il. C'est à toi de décider ce que tu veux faire de cette île. Les possibilités sont nombreuses. Reprendre la production d'huile d'olive, par exemple. Ou encore louer des chambres à des artistes comme tu le faisais autrefois.

Il s'interrompit. Pas question de la bousculer.

— Mais tu n'es pas obligée de prendre une décision immédiatement, bien sûr. Prends tout le temps que tu veux pour réfléchir. Et si tu te rends compte que tu n'as pas envie d'habiter sur l'île, ça ne posera aucun problème non plus. Nous trouverons quand même un moyen de la préserver.

Dacia lui adressa un sourire reconnaissant, puis reporta son attention vers les tableaux.

— J'aimerais t'envoyer les autres à présent, déclara Théo.

— Merci, répondit-elle avec un sourire ému. Mais tu sais, après tout ce temps, je me rends compte que j'ai surtout envie de connaître les gens que j'ai si stupidement exclus de ma vie.

— Avec plaisir. Je sais que Corban serait ravi de te présenter à sa famille.

— J'aimerais beaucoup rencontrer ta femme également. Drakon Notara ne jure que par elle. J'ai eu l'impression qu'elle avait joué un rôle essentiel dans sa décision de vendre l'île.

— Oui, Notara a toujours eu un faible pour Kerry. Je crois qu'elle lui rappelle sa femme.

Pourquoi ce pincement au cœur, tout à coup ? se demanda Théo avec perplexité.

Il avait toujours su que Kerry aurait une influence favorable sur la décision du vieil homme. C'était d'ailleurs pour cette raison qu'il avait accepté de l'amener sur l'île comme ce dernier le lui avait demandé…

— Les rafraîchissements sont servis.

— Merci beaucoup. C'est très aimable à vous, déclara Dacia à la gouvernante.

Théo accompagna sa tante sur la petite terrasse ombragée qui dominait la mer Egée. Il fallait bien reconnaître que si Dacia était ici et si elle avait accepté de le suivre sans émettre la moindre objection, c'était grâce à Kerry et à Notara. S'il avait dû se débrouiller seul, il aurait sans doute eu beaucoup plus de mal à la convaincre…

— Pour l'instant, j'ai gardé tout le personnel de Notara, déclara-t-il. Cela devrait faciliter la transition. Mais bien sûr, tu es libre de prendre toutes les décisions que tu jugeras nécessaires dans ce domaine également.

— Tu as bouleversé ma vie, répliqua-t-elle en lui pressant furtivement la main. Tu n'imagines pas ce que ça représente pour moi. Merci infiniment de m'offrir un cadeau aussi merveilleux.

Théo sourit.

— Ma femme n'est pas étrangère à cet heureux dénouement, se surprit-il à souligner.

— Je suis très impatiente de faire sa connaissance. Je suis sûre que c'est une femme exceptionnelle.

Théo ne répondit pas.

Au début de leur relation, Kerry correspondait parfaitement à l'idée qu'il se faisait de la maîtresse idéale. Elle en avait les deux qualités essentielles : la beauté et la discrétion. Elle représentait une oasis de sérénité dans sa vie de travail acharné.

Mais depuis, elle avait changé. Et à vrai dire, elle ne

correspondait pas du tout à l'idée qu'il se faisait de l'épouse idéale… Elle avait trop tendance à lui tenir tête.

Cependant, comme elle le lui avait fait remarquer, elle n'était pas une de ses employées. Elle était sa femme. Avait-il vraiment envie de vivre avec une épouse docile et sans caractère, toujours prête à exécuter ses ordres ?

Depuis qu'il avait découvert l'existence de son fils, il s'était toujours efforcé de considérer avant tout l'intérêt de ce dernier. Il ne s'était jamais préoccupé de l'intérêt de Kerry ni même du sien propre.

Tout à coup, une image s'imposa à l'esprit de Théo. Celle du visage las de Kerry au moment où elle lui avait dit qu'il n'en aurait jamais terminé avec elle.

De toute évidence, la perspective de passer sa vie avec lui la désespérait.

Et curieusement, cette pensée le glaçait.

12.

Le tonnerre gronda dans le ciel d'Athènes et Kerry pressa le pas dans la zone piétonnière au pied de l'Acropole. L'atmosphère était de plus en plus suffocante. L'orage n'allait pas tarder à éclater...

Malgré la tension qui régnait entre elle et Théo, elle avait hâte de ramener Lucas à l'hôtel. Cependant, ce qui n'était d'ordinaire qu'une promenade tranquille prenait des allures de marathon...

Les premières gouttes tombèrent lorsqu'elle quitta le dédale de ruelles pour prendre l'avenue qui conduisait à la place Syntagma. Elle avait toujours détesté cette voie très fréquentée, mais c'était l'itinéraire le plus court pour regagner l'hôtel. Par ailleurs, elle aurait peut-être une chance d'y trouver un taxi.

Tout à coup, un éclair déchira le ciel juste au-dessus de sa tête, suivi par un coup de tonnerre retentissant. Presque simultanément, des trombes d'eau s'abattirent sur la ville.

Lucas se mit à hurler. Il était au sec sous la bâche de protection de sa poussette, mais entre le fracas du tonnerre et le crépitement de la pluie sur le plastique, il avait de quoi être effrayé. Trempée jusqu'aux os en quelques secondes, Kerry continua d'avancer tant bien que mal.

Le rideau de pluie était si dense que les colonnes du temple de Zeus, pourtant toutes proches, étaient à peine visibles. Un torrent d'eau jaunâtre, qui charriait la poussière accumulée pendant tout l'été dans les rues, débordait déjà du caniveau.

Lucas hurlait si fort que Kerry l'entendait malgré le tumulte de l'orage. Impossible de prendre un taxi, constata-t-elle avec désespoir. Vu la violence du flot qui s'échappait du caniveau, s'approcher du bord du trottoir avec la poussette était trop risqué. Baissant la tête, elle continua de marcher.

Théo était déjà de retour à l'hôtel lorsque l'orage éclata. A la pensée que Kerry et Lucas étaient dehors, il se mit à arpenter son bureau en jetant des coups d'œil anxieux par la fenêtre. Bon sang, c'était un véritable déluge ! Pourvu qu'ils soient à l'abri !

La sonnerie de son portable le fit tressaillir. Kerry !

— Où es-tu ?

— Dans le Jardin national… Lucas hurle de frayeur… La bâche s'est déchirée et il ne veut pas rester dans la poussette.

Entre le bruit de l'orage et la mauvaise qualité de la liaison, Théo entendait très mal ce que disait Kerry, mais il parvint à comprendre où elle se trouvait.

— Je ne vais pas réussir à le ramener seule. S'il te plaît… peux-tu m'aider ?

Le cœur de Théo se serra. Si ses paroles n'étaient pas très distinctes, l'angoisse qui perçait dans la voix de Kerry était quant à elle nettement perceptible. Et le fait même qu'elle l'appelle prouvait qu'elle se trouvait dans une situation très délicate. Si sa mémoire était bonne, depuis qu'il la connaissait, c'était la première fois qu'elle l'appelait à l'aide.

— J'arrive.

Il quitta son bureau, prit un grand parapluie dans l'entrée et se rua dans l'ascenseur. Il aurait pu envoyer une voiture à l'entrée du jardin, mais il irait plus vite à pied. Pas question de laisser Kerry et Lucas seuls plus longtemps que nécessaire.

Le visage fouetté par la pluie, il s'élança sur le trottoir sans ouvrir le parapluie, esquivant les piétons et sautant par-dessus les flaques. Il ne lui fallut pas très longtemps pour atteindre le Jardin national. Il accéléra encore le pas dans les allées désertes, en direction de l'endroit que Kerry lui avait indiqué.

Enfin, il la vit et son cœur fit un bond dans sa poitrine. Penchée sur la poussette, elle tentait d'abriter Lucas avec son corps tout en le réconfortant.

Elle leva les yeux à son approche et son air désemparé le déchira. Il voulait la prendre dans ses bras et la serrer contre lui pour effacer ce désarroi de son regard ! Mais cet élan irrésistible fut stoppé net par une bouffée d'amertume. Quel idiot ! C'était sans doute la dernière chose dont elle avait envie… Au lieu de la réconforter, il ne parviendrait qu'à la stresser davantage.

Il s'immobilisa à côté d'elle. Pour la première fois de sa vie, il se sentait perdu et hésitait sur la conduite à tenir.

— Tout va bien, papa est là, dit Kerry à Lucas avec un sourire rassurant. Je vais pouvoir te prendre dans mes bras et il va nous abriter sous le parapluie.

Ces paroles sortirent Théo de son indécision. Il ouvrit le parapluie et le tint au-dessus de la poussette. Dès que Lucas fut dans les bras Kerry, il se calma.

La jeune femme se redressa et Théo passa un bras autour de ses épaules.

— J'ai déchiré la bâche, expliqua-t-elle en le regardant par-dessus les boucles brunes de Lucas.

Sa frange, plaquée contre son front par la pluie, lui masquait en partie les yeux.

— Je l'ai repliée quelques instants pour tenter de le calmer, mais elle s'est accrochée quelque part et elle s'est déchirée. Je ne pouvais plus abriter Lucas de la pluie tout en continuant à marcher.

Kerry déglutit péniblement. Nul doute que Théo allait être furieux de sa maladresse. A cause d'elle, Lucas avait été très perturbé.

Mais à sa grande surprise, ce fut une vive émotion qu'elle lut dans ses yeux noirs. Ils étaient pourtant bien fixés sur elle, pas sur Lucas, constata-t-elle, le cœur battant. Tout à coup, elle avait l'impression qu'il tenait à elle, au moins un petit peu…

C'était ridicule. Elle savait parfaitement ce que Théo pensait d'elle ! Inutile de se bercer d'illusions…

— J'ai coupé par le jardin, mais c'était une mauvaise idée, reprit-elle d'une voix mal assurée. J'aurais mieux fait de m'abriter dans un café ou dans une boutique, au lieu de continuer à marcher sous la pluie. Mais je voulais rentrer le plus vite possible.

— Tu ne pouvais pas prévoir que la bâche se déchirerait, répliqua-t-il en écartant une mèche ruisselante de sa joue.

Elle sentit de nouveau son cœur s'affoler dans sa poitrine. Quelle tendresse dans ce geste… Et ce n'était pas un effet de son imagination. Elle en était certaine.

— Mais tu as vraiment bien fait de la prendre. Pour ma part, je n'y aurais pas pensé !

Kerry avait du mal à se concentrer sur les paroles de Théo. Sa sollicitude était tellement inattendue ! Elle en était tout étourdie...

C'était très perturbant. Elle savait ce qu'il pensait d'elle. Pourtant, il la regardait d'une manière si étrange qu'il était tentant de se laisser aller à rêver... à imaginer qu'un jour il finirait peut-être par l'aimer... au moins un peu.

La gorge nouée, elle baissa les yeux. Il fallait absolument qu'elle se ressaisisse. Les rêves impossibles étaient inutiles. Néfastes, même. Si elle continuait à espérer un bonheur qui ne viendrait jamais, elle s'exposait à la désillusion et à l'amertume.

— Je... je suis désolé, bredouilla Théo, au supplice.

L'air triste de Kerry était insupportable. Il lui rappelait leur dispute de la veille et son regard désespéré à la perspective de devoir passer sa vie avec lui...

L'idée qu'elle était malheureuse à cause de lui le déchirait. Dire qu'il avait fallu que ce soit sa tante qui lui ouvre les yeux ! Lorsqu'elle lui avait dit que Kerry devait être une femme exceptionnelle, il avait brusquement pris conscience que c'était la stricte vérité.

Kerry était une femme exceptionnelle.

Douce et généreuse, mais également capable de se battre pour défendre les idées qui lui semblaient justes.

Elle ne méritait pas d'être malheureuse...

— Il ne pleut plus, dit-elle.

Elle le regardait avec une perplexité manifeste, constata-t-il.

— Excuse-moi de t'avoir appelé, continua-t-elle, et de t'avoir dérangé dans ton travail. Si j'avais tenu quelques minutes de plus, tu n'aurais pas eu besoin de venir.

Théo promena autour de lui un regard surpris. En

effet, la pluie s'était arrêtée. Une odeur de terre et d'herbe mouillée s'élevait du sol et l'air était plus léger.

Il ferma le parapluie. Le soleil lui caressa le visage mais ses rayons ne suffirent pas à réchauffer son cœur. C'était à cause de lui que Kerry était malheureuse. Et cette pensée était beaucoup plus douloureuse qu'il n'aurait pu l'imaginer.

— Tu n'as aucune raison de t'excuser, déclara-t-il, la gorge nouée. Tu peux faire appel à moi à tout moment, même si jusqu'à présent, je ne t'en ai pas donné l'impression. Après tout ce qui s'est passé, je ne peux pas t'en vouloir de ne pas avoir confiance en moi.

— Tu te trompes, j'ai confiance en toi. Et je regrette amèrement de ne pas t'avoir consulté le soir où Hallie a eu son accident.

Il passa nerveusement la main dans ses cheveux.

— Puisque nous en sommes aux regrets, je dois reconnaître que tu avais raison quand tu m'as accusé de vouloir tout régenter. Grâce à toi, j'ai pris conscience que je me montre souvent très autoritaire et je regrette profondément de t'avoir blessée par cette attitude excessive.

En même temps qu'il prononçait ces mots, une autre vérité se faisait jour dans l'esprit de Théo. C'était comme si les nuages noirs qui lui encombraient l'esprit venaient soudain d'être chassés par un grand coup de vent salutaire. Et la vérité ainsi dévoilée était aveuglante.

— Je t'aime, Kerry.

Abasourdie, elle sentit son cœur s'affoler dans sa poitrine.

Cette conversation prenait un tour de plus en plus déroutant ! Entendre Théo reconnaître qu'il était trop autoritaire était déjà incroyable. Mais l'entendre dire qu'il l'aimait !

— Quand je t'ai rencontrée, j'ai été attiré par ta beauté, dit-il en posant la main sur sa nuque. Ensuite, ce sont ta douceur et ta générosité qui m'ont séduit. Je crois que j'ai commencé à tomber amoureux de toi dès cette époque. Mais je n'étais pas prêt à le reconnaître. J'exerçais un contrôle permanent sur ma vie et celle des autres, mais j'étais tellement occupé à tout contrôler que je ne me rendais pas compte que j'étais dans une impasse.

Théo plongea son regard dans celui de Kerry.

— Et puis un jour, tu as de nouveau fait irruption dans ma vie avec Lucas. Vous avez mis sens dessus dessous mon univers bien organisé et je t'en suis infiniment reconnaissant. Je n'avais jamais eu conscience de ce qui me manquait jusqu'à ce que tu me le donnes.

Kerry retint son souffle. Etait-ce possible ? N'était-elle pas en train de rêver ? Ce qui était en train de se passer semblait beaucoup trop beau pour être vrai…

— Je t'aime, Kerry.

Elle sentit son cœur se gonfler de joie et tous ses doutes s'évanouirent. Théo était sincère. Elle le sentait. Elle le savait.

Il l'aimait… Ce moment magique n'était pas un rêve. C'était la réalité.

— Moi aussi je t'aime, Théo.

Il l'embrassa avec une tendresse infinie qui la bouleversa.

— Nous avons perdu beaucoup de temps, murmura-t-il d'un air contrit.

— Disons que nous avons fait un long voyage.

Un voyage qui les avait mûris l'un et l'autre, songea-t-elle avant d'ajouter :

— Mais aujourd'hui, nous sommes enfin réunis.

— Oui, et sache que je ne te laisserai plus jamais repartir. Sans toi, ma vie n'a aucun sens.

Avec un sourire radieux, Kerry remit Lucas endormi dans sa poussette.

— Ça tombe bien parce que je n'ai pas l'intention de m'en aller.

Elle noua les bras sur la nuque de Théo.

— Ramène-moi à la maison, s'il te plaît… Il est urgent de m'enlever tous ces vêtements mouillés.

Ne manquez pas, dès le 1er mai

LA FIANCÉE IDÉALE, *Cathy Williams* • N°2995

Mariage Arrangé Pressé de se marier par sa mère, Rafael Rocchi finit par jeter son dévolu sur Cristina, une jeune femme aux courbes voluptueuses qui a tout de l'épouse idéale. Même si, pour parvenir à ses fins, il va devoir faire croire à la jeune romantique qu'il éprouve de tendres sentiments à son égard…

L'ENFANT DU MENSONGE, *Margaret Mayo* • N°2996

Venue chez les Mandervell-Smythe pour organiser un mariage, Kristie manque s'étouffer lorsqu'elle découvre que le frère de la future mariée n'est autre que Radford, le lâche qui a abandonné sa sœur alors qu'elle était enceinte et qu'elle tient pour responsable de sa mort. Malgré sa haine, elle doit absolument se contenir pour ne pas révéler à Radford qu'il a un fils…

UNE ATTIRANCE INATTENDUE, *Maggie Cox* • N°2997

Malgré ses réticences, Fabian Moritzzoni a accepté d'engager une remplaçante durant l'absence de sa secrétaire. Pourtant, avec l'organisation du concert annuel à la Villa de Rosa, il n'a pas de temps à perdre avec une débutante ! Surtout quand la débutante en question, Laura Greenwood, une femme frêle et délicate, éveille en lui un instinct protecteur très troublant…

UN INSUPPORTABLE CHANTAGE, *Julia James* • N°2998

Lorsqu'Alexis Petrakis apprend que Rhianna, la manipulatrice qui l'a envoûté cinq ans plus tôt, lui a caché l'existence de son fils, il est fou de rage. Déterminé à emmener l'enfant avec lui, sans pour autant le séparer trop brutalement de sa mère, il propose un marché à Rhianna : si elle veut rester avec son fils, elle devra le suivre en Grèce…

FIÈVRE ANDALOUSE, *Kim Lawrence* • N°2999

Partie en Andalousie pour empêcher sa nièce de commettre une erreur monumentale, Nell rencontre Luiz Santoro, un bel Espagnol, sexy en diable, qui lui assure savoir où et avec qui se trouve l'adolescente. Parce qu'il est son seul espoir, elle accepte de le suivre, malgré le mépris que lui inspire l'arrogance de cet homme…

L'ÉPOUSE INDOMPTABLE, Sandra Marton • N°3000

Après son accouchement, Carin est stupéfaite de voir à son chevet Raphael Alvares, le père de son enfant, à qui elle a pourtant caché sa grossesse après leur unique nuit de plaisir. Elle est d'autant plus bouleversée que cet homme qu'elle connaît à peine exige qu'elle l'épouse...

LE FRUIT D'UNE AVENTURE, Emma Darcy • N°3001

Alors qu'elle se croyait condamnée à jouer les demoiselles d'honneur aux mariages de ses amies, Tammy rencontre Fletcher Stanton, un célibataire terriblement sexy avec qui elle passe une nuit torride. Quelques semaines plus tard, elle découvre qu'elle est enceinte : comment l'annoncer à Fletcher alors qu'il lui a clairement dit ne pas vouloir s'engager ?

LA REVANCHE D'UN PRINCE, Sabrina Philips • N°3002

 Lorsque Tamara, un célèbre top model, découvre qu'elle doit défiler lors du gala organisé par le prince Kaliq, elle est bouleversée. Sept ans plus tôt, convaincue qu'il ne l'aimait pas, elle a refusé de l'épouser malgré les sentiments qu'elle éprouvait pour lui. Aucun doute, Kaliq ne cherche qu'un prétexte pour se venger de cet affront...

UNE OFFRE IRRÉSISTIBLE, Susanne James • N°3003

Gentleman si séducteur Alors qu'elle passe quelques jours de vacances à Rome, Lilly rencontre Theodore Montague, un jeune veuf extrêmement séduisant qui, à sa grande surprise, lui propose de l'engager pour garder ses enfants. Lilly ne peut se permettre de refuser une offre aussi intéressante même si elle redoute qu'une telle promiscuité n'intensifie son attirance pour Theodore...

LE SECRET D'UNE PRINCESSE, Chantelle Shaw • N°3004

- Le royaume des Karedes -
CINQUIÈME PARTIE

Malgré l'humiliation qu'il lui inflige en la prenant pour une simple serveuse, la princesse Kristina ne peut résister aux avances de Nikos Angelaki, et passe, entre les bras de ce superbe homme d'affaires grec, une nuit incroyable, au mépris de son rang. Mais au petit matin, effrayée qu'il ne découvre son identité, elle décide de disparaître...

Attention, numérotation des livres pour le Canada différente : numéros 1583 à 1588

30 € à gagner !

Répondez à notre grande enquête et
gagnez peut-être un bon cadeau de 30 €*

- 1 livre GRATUIT offert aux 1000 premières réponses -

1/ Quels sont vos critères d'appréciation de la collection Azur ?
(5 pour très bon - 1 pour mauvais)

- Intensité du conflit amoureux ⊔   - Romantisme ⊔
- Personnages attachants ⊔   - Sensualité ⊔
- Intrigue intéressante ⊔   - Visuel de couverture ⊔

2/ Sélectionnez vos 3 thèmes préférés dans Azur et classez-les de 1 à 3:
(1 étant votre choix n°1)

- Play-boys et milliardaires ⊔   - Mariage arrangé ⊔
- Enfant secret ⊔   - Sagas/séries ⊔
- Cheikh - Princes du désert ⊔   - Coup de foudre au bureau ⊔
- Secrets de famille ⊔

3/ Qu'aimeriez-vous davantage trouver dans les romans de la collection Azur ?

	Oui	Non
- L'intensité	☐	☐
- La sensualité	☐	☐
- La diversité	☐	☐
- Des histoires avec des enfants	☐	☐
- Je ne changerais rien	☐	☐

- Autre :..
....

4/ Globalement, quelle note sur 10 attribueriez-vous à la collection Azur ?

⊔⊔⊔

5/ Quels sont les auteurs que vous aimez lire dans la collection Azur ?

☐	Penny Jordan	☐	India Grey
☐	Sandra Marton	☐	Julia James
☐	Liz Fielding	☐	Melanie Milburn
☐	Sharon Kendrick	☐	Trish Morey
☐	Emma Darcy	☐	Lynne Graham

Autre : ....

AZU1

6/ Selon vous, les couvertures Azur sont :

☐ Très bien ☐ Bien ☐ Assez bien
☐ Passables ☐ Je ne les aime pas du tout
Pourquoi ? ....

7/ Selon vous, ces couvertures sont plutôt :

	D'accord	Moyennement d'accord	Pas d'accord
- Modernes	☐	☐	☐
- Classiques	☐	☐	☐
- Un peu datées	☐	☐	☐
- Elégantes	☐	☐	☐
- Reflètent bien la collection	☐	☐	☐

Suggestions :..
....

8/ Sélectionnez vos 5 critères d'achat de la collection Azur et classez-les de 1 à 5 (1 étant le premier)

- L'intensité du conflit amoureux ☐   - Le visuel de la couverture ☐
- Le résumé au dos du livre ☐   - L'émotion ☐
- L'auteur ☐   - La marque ☐
- Le titre ☐   - La pagination ☐
- La thématique ☐   - Le prix ☐

9/ Concernant la collection que vous venez d'acheter...

- J'achète tous les livres chaque mois ☐
- J'achète une sélection de livres chaque mois ☐
- Je l'achète occasionnellement ☐

10/ Avez-vous acheté un livre de l'une de ces collections au cours des 6 derniers mois ?

☐ Azur ☐ Audace ☐ Horizon ☐ Blanche
☐ Nocturne ☐ Best-Sellers ☐ Les Historiques ☐ Prélud'
☐ Black Rose ☐ Passions ☐ Red Dress Ink ☐ Spicy
☐ Mira ☐ Jade ☐ Aventures et Passions
☐ Passion intense ☐ Barbara Cartland

Autre : ....

11/ Etes-vous abonnée à l'une des collections Harlequin ?

Si oui, laquelle ? ....
Non, je l'ai été mais j'ai arrêté ☐
Non, je ne l'ai jamais été ☐

12/ Utilisez-vous un de ces sites pour rechercher des informations avant d'acheter en magasin ?

Oui ☐   Non ☐

Si oui, lesquels ?

Harlequin.fr ☐   Fnac.com ☐   Amazon.fr ☐   Autre ☐

M. ☐   Mme ☐   Mlle ☐

Nom : ....   Prénom : ....

Adresse : ....

Code Postal : ....   Ville : ....

Date de naissance : ....

E-mail : _____@_____

☐ Oui, je souhaite être tenue informée des offres promotionnelles des Editions Harlequin

☐ Oui, je souhaite recevoir les offres promotionnelles des partenaires des Editions Harlequin

Quelle est votre profession ?

☐ Agriculteur
☐ Artisan, commerçant, chef d'entreprise
☐ Cadre et profession libérale
☐ Profession intermédiaire
☐ Employée   ☐ Ouvrier
☐ Retraitée   ☐ Inactive

Quelle est la profession du chef de famille ?

☐ Agriculteur
☐ Artisan, commerçant, chef d'entreprise
☐ Cadre et profession libérale
☐ Profession intermédiaire
☐ Employé   ☐ Ouvrier
☐ Retraité   ☐ Inactif

* Un tirage au sort désignera les 20 gagnants d'un bon cadeau de 30 €
(soit 45 SFr pour les gagnants suisses)

Merci de retourner le questionnaire complet au plus tard le 31/08/2010
sous enveloppe affranchie à l'adresse suivante :
Editions Harlequin – service Marketing
Grande enquête Harlequin
83/85 bd Vincent Auriol
75646 Paris cedex 13

Extrait du règlement :

La société HARLEQUIN organise un jeu-questionnaire intitulé « Grande enquête Harlequin» du 1er avril 2010 au 31 août 2010 qui accompagnera les livres mis en vente. Il est gratuit et sans obligation d'achat, et ouvert à toute personne physique majeure résidant en France métropolitaine (Corse comprise), à Monaco, dans les DOM-TOM, en Suisse et en Belgique. La réponse est possible sur papier libre ou en demandant un exemplaire du jeu-questionnaire au service lectrices au 01 45 82 47 47 ou à l'adresse du jeu.

Un livre d'une valeur commerciale unitaire de 6,30€ sera offert aux mille (1000) premières personnes ayant répondu à la grande enquête Harlequin dans toutes les collections concernées. Les vingt (20) personnes tirées au sort se verront attribuer un chèque cadeau d'une valeur de 30€ (soit 45SFr). Les lots seront envoyés par la Poste dans le délai d'un mois après la clôture du jeu.

Pour participer, les candidats doivent avoir répondu au questionnaire et le renvoyer à la Société Harlequin à l'adresse suivante : Editions Harlequin – service marketing 83/85 bd Vincent Auriol 75646 Paris Cedex 13. La participation au jeu-questionnaire entraîne l'acceptation pleine et entière du règlement déposé chez Maîtres Gaultier et Mazure, Huissiers de justice, 51, rue Sainte Anne, 75002 Paris.

Le règlement est adressé à titre gratuit à toute personne en faisant la demande à : Société Harlequin 83-85 boulevard Vincent Auriol 75013 Paris. Timbre remboursé sur demande au tarif lent.

Loi informatiques et libertés

Pour vous offrir le meilleur service, vos noms et adresses seront enregistrés dans notre fichier clientèle. Conformément à la loi Informatique et libertés du 6 janvier 1978,vous disposez d'un droit d'accès et de rectification aux données personnelles vous concernant. Par notre intermédiaire, vous pouvez être amenée à recevoir des propositions d'autres entreprises.
Si vous ne le souhaitez pas, il vous suffit de nous écrire en nous indiquant vos nom, prénom et adresse à :
Service Lectrices Harlequin BP 20008 59718 LILLE Cedex 9.

Le 1er mai 2010

Azur fête son numéro 3000 !

Pour célébrer cet événement, nous vous proposons de découvrir un roman inoubliable, spécialement écrit par Sandra Marton, auteur phare de votre collection : *L'épouse indomptable*, une histoire d'amour passionnée qui vous transportera dans l'univers intense d'Azur. Sous sa couverture étincelante, ce numéro spécial 3000 vous réserve de nombreuses surprises : un rendez-vous à ne manquer sous aucun prétexte.

Composé et édité par les
éditions Harlequin
Achevé d'imprimer en mars 2010

à Saint-Amand-Montrond (Cher)
Dépôt légal : avril 2010
N° d'imprimeur : 91959 — N° d'éditeur : 14918

Imprimé en France